O diário da

Princesa

Obras da autora publicadas pela Editora Record:

Avalon High
Avalon High — A coroação: a profecia de Merlin
Cabeça de vento
Sendo Nikki
Na passarela
Como ser popular
Ela foi até o fim
A garota americana
Quase pronta
O garoto da casa ao lado
Garoto encontra garota
A noiva é tamanho 42
Todo garoto tem
Ídolo teen
Pegando fogo!
A rainha da fofoca
A rainha da fofoca em Nova York
A rainha da fofoca: fisgada
Sorte ou azar?
Tamanho 42 não é gorda
Tamanho 44 também não é gorda
Tamanho não importa
Tamanho 42 e pronta para arrasar
Liberte meu coração
Insaciável
Mordida

Série O Diário da Princesa
O diário da princesa
Princesa sob os refletores
Princesa apaixonada
Princesa à espera
Princesa de rosa-shocking
Princesa em treinamento
Princesa na balada
Princesa no limite
Princesa Mia
Princesa para sempre
O casamento da princesa

Lições de princesa
O presente da princesa

Série A Mediadora
A terra das sombras
O arcano nove
Reunião
A hora mais sombria
Assombrado
Crepúsculo
Lembrança

Série As leis de Allie Finkle para meninas
Dia da mudança
A garota nova
Melhores amigas para sempre?
Medo de palco
Garotas, glitter e a grande fraude
De volta ao presente

Série Desaparecidos
Quando cai o raio
Codinome Cassandra
Esconderijo perfeito
Santuário

Série Abandono
Abandono
Inferno
Despertar

MEG CABOT

O diário da Princesa

Tradução de
RUY JUNGMANN

38ª edição

Galera
RIO DE JANEIRO
2024

CIP-Brasil. Catalogação na fonte
Sindicato Nacional dos Editores de Livros, RJ.

Cabot, Meg
C116d O diário da princesa / Meg Cabot; tradução de Ruy Jungmann. –
38ª ed. 38ª ed. – Rio de Janeiro: Galera Record, 2024.

Tradução de: The princess diaries
ISBN 978-85-01-06290-1

1. Romance norte-americano. I. Jungmann, Ruy, 1924-. II. Título.

CDD – 813
01-1756 CDU – 820(73)-3

Título original norte-americano
THE PRINCESS DIARIES

Design de capa adaptado do projeto de Ray Shappell para Harper Collins Publishers.

Este livro foi revisado segundo o Acordo Ortográfico da Língua Portuguesa de 1990.

Direitos exclusivos de publicação em língua portuguesa para o Brasil
adquiridos pela
EDITORA RECORD LTDA.
Rua Argentina 171 – Rio de Janeiro, RJ – 20921-380 – Tel.: (21) 2585-2000
que se reserva a propriedade literária desta tradução

Impresso no Brasil

ISBN 978-85-01-06290-1

Agradecimentos

A autora deseja expressar sua gratidão às pessoas que, de tantas maneiras, contribuíram para a criação e publicação deste livro: Beth Ader, Jennifer Brown, Barbara Cabot, Charles e Bonnie Egnatz, Emily Faith, Laura Langlie, Ron Markman, Abigail McAden, A. Elizabeth Mikesell, Melinda Mounsey, David Walton, Allegra Yeley e, a mais do que ninguém, Benjamin Egnatz.

"O que quer que aconteça", disse ela, "não pode mudar uma coisa. Se sou uma princesa em trapos e andrajos, posso ser uma princesa por dentro. Seria fácil ser princesa se eu estivesse vestida com tecido de fios de ouro, mas é um triunfo muito maior ser princesa o tempo todo, sem ninguém saber."

A Princesinha

Frances Hodgson Burnett

Terça-feira, 23 de Setembro

Às vezes, parece que tudo que faço é mentir.

Mamãe acha que estou reprimindo meus sentimentos sobre isso. Eu digo a ela: "Não, mamãe, não estou. Acho que é realmente bacana. Enquanto você for feliz, eu serei feliz."

Mamãe respondeu: "Eu não acho que você esteja sendo honesta comigo."

Em seguida, ela me deu este livro. Diz que quer que eu escreva nele meus sentimentos, já que, diz ela, obviamente eu não acho que posso falar com ela sobre eles.

Ela quer que eu escreva sobre meus sentimentos? Tudo bem, vou dizer, por escrito, quais são meus sentimentos.

EU NÃO POSSO ACREDITAR QUE ELA ESTEJA FAZENDO ISSO COMIGO!

Como se todo mundo já não acreditasse que eu sou uma aberração. Sou praticamente a maior aberração de toda a escola. Quero dizer, tenho que reconhecer: tenho 1,80 de altura, não tenho peito, e estou no primeiro ano. Do que mais uma pessoa precisa para ser uma aberração?

Se o pessoal da escola descobrir isso, estou ferrada. Isso mesmo. Ferrada.

Oh, Deus, se você realmente existe, não deixe que eles descubram isso.

Há quatro milhões de habitantes em Manhattan, certo? Isso significa que uns dois milhões deles são homens. E, entre DOIS MI-

LHÕES de caras, ela foi namorar logo o sr. Gianini. Ela não pode sair com um cara que eu não conheço. Ou com um que tenha conhecido no D'Agostinos ou em qualquer outro lugar. Oh, não.

Ela tem que namorar meu professor de álgebra.

Obrigada, mamãe. Muitíssimo obrigada.

Quarta-feira, 24 de Setembro, Quinto Período

Isso é bem de Lilly: "O sr. Gianini é legal."

É isso aí. Ele é legal se você é Lilly Moscovitz. Ele é legal se você é boa em álgebra, como Lilly Moscovitz. E não é tão legal se você está levando bomba em álgebra, como eu.

Ele não é tão legal assim, se obriga a gente a ficar na escola TODOS OS DIAS, das 2:30h até as 3:30h, para estudar o método DEMONSTRAÇÃO POR ABSURDO quando você podia estar passeando com a turma. Ele não é tão legal assim se chama sua mãe para uma conversa particular mãe/professor, diz que a filha vai levar pau em álgebra e, depois, CONVIDA ELA PARA SAIR.

E não é tão legal assim se está metendo a língua na boca da sua mãe.

Não que eu tenha mesmo visto eles fazerem isso. Eles nem saíram juntos ainda pela primeira vez. E não acho que minha mãe vá deixar que um cara meta a língua na boca dela no primeiro encontro.

Pelo menos, espero que não.

Na semana passada, vi Josh Richter enfiar a língua na boca de Lana Weinberger. Vi bem de perto, porque os dois estavam encostados no armário de Josh, que fica junto do meu. Achei aquilo nojento.

Embora eu não possa dizer que me importaria se Josh Richter me beijasse desse jeito. Um dia destes, Lilly e eu fomos ao Bigelows comprar um pouco de creme de limpeza de pele para a mãe dela e vi Josh esperando perto do caixa. Ele me viu e até pareceu dar um sorriso, e disse: "Oi."

Ele estava comprando Drakkar Noir, uma colônia para homem. A vendedora me deu uma amostra grátis da colônia. Agora posso sentir o cheiro de Josh sempre que quero, na privacidade da minha própria casa.

Lilly diz que as sinapses de Josh estavam provavelmente batendo pino naquele dia, devido a um ataque de insolação ou coisa assim. Disse que ele provavelmente pensou que eu parecia uma pessoa conhecida, mas que não podia situar minha cara sem as paredes de blocos de cimento da Escola Albert Einstein atrás de mim. Por que outro motivo, perguntou ela, o cara mais popular do último ano do segundo grau diria oi para mim, Mia Thermopolis, uma caloura que não é ninguém?

Mas eu sei que não foi ataque de insolação nenhum. A verdade é que, quando está longe de Lana e de todos aqueles seus amigos machões, Josh é uma pessoa inteiramente diferente. O tipo de pessoa que não se importa se uma garota não tem peito e usa sapato 40. O tipo de cara que pode ver além de tudo isso, dentro das profundezas da alma de uma garota. Eu sei porque, aquele dia, no Bigelows, quando olhei dentro dos seus olhos, vi a pessoa profundamente sensível que há dentro dele lutando para sair.

Lilly diz que eu tenho imaginação hiperativa e necessidade patológica de inventar situações de intenso conflito em minha vida. E diz ainda que o fato de eu estar tão perturbada com minha mãe e o sr. G é um exemplo clássico dessa situação.

"Se você está tão perturbada assim, simplesmente diga isso à sua mãe", aconselha Lilly. "Diga a ela que não quer que ela saia com ele. Eu não compreendo você, Mia. Você anda sempre por aí mentindo sobre como se sente. Por que, para início de conversa, você não diz realmente o que sente? Seus sentimentos têm valor, sabia?"

Oh, tudo bem. Como se eu fosse encher o saco de minha mãe com isso. Mamãe está tão completamente feliz com esse namoro que me dá até vontade de vomitar. Ela passa o dia todo *cozinhando*. Não estou nem brincando. Pela primeira vez em meses, ela fez um prato de massa. Eu já havia aberto o cardápio de comida chinesa do Suzie's para pedir que mandassem alguma coisa em casa, quando ela disse: "Oh, não, hoje à noite nada de macarrão frio com gergelim. Eu fiz um prato de massa de verdade."

Massa! Minha mãe fez um prato de *massa*!

Ela chegou mesmo a respeitar meus direitos como vegetariana e não botou almôndegas no molho.

Eu não estou entendendo nada.

COISAS PARA FAZER

1. Comprar areia para o gato
2. Terminar o exercício DEMONSTRAÇÃO POR ABSURDO para o sr. G
3. Parar de contar tudo para Lilly
4. Ir até a Pearl Paint: comprar lápis macios, spray fixador e moldura de tela (pra mamãe)

5. Dever de casa de Civilizações Mundiais sobre a Islândia (5 páginas, espaço dois)
6. Parar de pensar tanto em Josh Richter
7. Levar a roupa para a lavanderia
8. Aluguel de outubro (confirmar se mamãe depositou o cheque de papai!!!)
9. Ser mais positiva
10. Medir o busto

Quinta-feira, 25 de Setembro

Hoje, na aula de álgebra, a única coisa em que consegui pensar foi que o sr. Gianini, amanhã à noite, poderia meter a língua na boca de minha mãe, quando saíssem juntos. Fiquei simplesmente sentada no meu lugar, olhando para ele. Ele me fez uma pergunta muito fácil — juro que ele reserva para mim todas as perguntas fáceis, como quem não quer que eu me sinta excluída ou coisa assim — e nem mesmo a ouvi. Eu era só uma pergunta: "O quê?"

Depois, Lana Weinberger fez aquele som que sempre faz e inclinou-se para mim, com todos aqueles cabelos louros varrendo minha carteira. Fui atingida por aquela gigantesca onda de perfume e, em seguida, Lana silvou em uma voz realmente maldosa:

"ABERRAÇÃO."

Apenas, ela disse isso como se a palavra tivesse mais de quatro sílabas. Como se fosse pronunciada como A-A-BE-BE-RA-RA-ÇÃO.

Como é que pessoas tão bacanas como a Princesa Diana morrem em um desastre de automóvel e pessoas mesquinhas como Lana nunca morrem? Eu não entendo o que Josh Richter vê nela. Quer dizer, sim, ela é bonitinha. Mas é tão malvada. Será que ele não nota isso?

Talvez, porém, Lana seja boa para o Josh. Tenho certeza que eu seria. Ele é o cara mais bonito da Albert Einstein High School. Um monte de meninos parecem uns verdadeiros espantalhos no uniforme da escola que, no caso deles, é calça cinza, camisa branca, suéter preto, casaco ou colete. Mas não Josh. De uniforme, ele parece um modelo. E não estou brincando.

De qualquer modo... Hoje, notei que as narinas do sr. Gianini se destacam muito. Por que alguém ia querer namorar um cara que tem narinas que se destacam tanto? Na hora do almoço, perguntei isso a Lilly e ela respondeu: "Eu nunca notei as narinas dele antes. Você vai comer esse bolinho?"

Lilly diz que eu preciso deixar de viver obcecada. Diz que eu estou nervosa assim porque este é nosso primeiro mês na escola, que levei bomba em alguma coisa e que estou transferindo para ela esse nervosismo com minha mãe e o sr. Gianini. Diz que isso é chamado de transferência.

Uma palavra dessas aparece quando os pais de nossa melhor amiga são psicanalistas.

Hoje, depois das aulas, os drs. Moscovitz estavam querendo porque querendo me analisar. Quero dizer, Lilly e eu estávamos simplesmente sentadas, jogando *boggle*. A cada cinco minutos, a gente ouvia: "Meninas, vocês querem um pouco de suco? Meninas, há um documentário muito interessante sobre lulas no canal Discovery. E, por falar nisso, Mia, o que é que você acha de sua mãe ter começado a namorar com o professor de álgebra?"

Eu digo:

"Acho bacana."

Por que é que eu não posso ser mais positiva?

Mas o que é que vai acontecer, se os pais de Lilly encontrarem por acaso minha mãe no supermercado Jefferson ou num lugar assim? Se eu contasse a eles a verdade, eles *definitivamente* contariam a ela. Não quero que minha mãe saiba como eu me sinto esquisita sobre esse namoro, não quando ela está tão feliz com isso.

Pior ainda foi que o irmão mais velho de Lilly ouviu tudo. Imediatamente, começou a rir como um doido, mesmo que eu não veja nada de engraçado nisso.

E disse:

"Sua mãe está namorando Frank Gianini? Ha, ha, ha!"

Que maravilha. Agora o irmão de Lilly, Michael, sabe.

De modo que tive que começar a implorar a ele que não contasse a ninguém. Ele está no quinto período da classe Superdotados e Talentosos, comigo e com Lilly, o que é a maior das piadas de uma classe, já que a sra. Hill, a encarregada do programa S & T na Albert Einstein, não dá a mínima para o que a gente faz, desde que a gente não faça muito barulho. Ela odeia ter que sair da sala dos professores, que fica bem do outro lado da sala dos S & T no corredor, para gritar com a gente.

De qualquer modo, todo mundo espera que Michael use o quinto período para trabalhar no seu e-zine, *Crackhead*. O pessoal espera que eu use o programa pra botar em dia meu dever de casa de álgebra.

Mas, de qualquer modo, a sra. Hill nunca aparece para ver o que a gente está fazendo em S & T, o que eu acho que é bom, porque a maior parte do que a gente está fazendo é trancar aquele novo garoto russo, que todo mundo diz que é um gênio musical, no almoxarifado, para não ter que ouvir mais Stravinsky naquele violino chato dele.

Mas ninguém pense que simplesmente porque estamos juntos contra Boris Pelkowski e seu violino, Michael vai ficar calado sobre mamãe e o sr. G.

O que Michael continuava a dizer era:

"O que é que você vai fazer por mim, Thermopolis? O que é que você vai fazer por mim?"

Mas não há nada que eu possa fazer por Michael Moscovitz. Não posso me oferecer para fazer o dever de casa dele ou qualquer coisa. Michael está no último ano (exatamente como Josh Richter). Michael tirou nota 10 durante toda a vida (exatamente igual a Josh Richter). Ele provavelmente vai estudar em Yale ou Harvard no ano que vem (exatamente igual a Josh Richter).

O que é que *eu* poderia fazer por uma pessoa assim?

Não que Michael seja perfeito, nada disso. Ao contrário de Josh Richter, Michael não está na equipe de esportes da escola. Não está nem mesmo na turma de debate. Michael não acredita em esporte organizado ou em qualquer coisa organizada, por falar nisso. Michael passa a maior parte do tempo em seu quarto. Uma vez perguntei a Lilly o que era que ele fazia lá, e ela disse que os pais dela adotam uma política tipo não pergunte, não conte nada, a respeito de Michael.

Aposto que ele está fabricando uma bomba. Talvez faça a Albert Einstein explodir como brincadeira de mau gosto de veterano.

Às vezes, Michael sai do quarto e faz comentários sarcásticos. Às vezes, quando faz isso, está nu da cintura para cima. Mesmo que não acredite em esporte organizado, notei que Michael tem um peito bem bonito. Os músculos da barriga dele são bem definidos.

Eu nunca disse isso a Lilly.

De qualquer modo, acho que Michael se encheu de eu me oferecer para fazer coisas, como levar pra passear o cachorrinho dele, Pavlov, e levar as latas vazias de Tab da mãe dele para o Gristedes e apanhar o dinheiro do depósito, que é uma de suas obrigações semanais. Isso porque Michael, no fim, simplesmente disse, naquele tom enjoado de voz: "Esqueça isso, tá bem, Thermopolis?", e voltou para o quarto.

Perguntei a Lilly por que ele estava tão zangado e ela respondeu que ele vinha me provocando sexualmente, mas eu não notava.

Que coisa mais embaraçosa! Vamos supor que Josh Richter começasse algum dia a me provocar sexualmente (como eu ia gostar!) e eu não notasse? Deus do céu, às vezes sou mesmo burra.

De qualquer modo, Lilly disse que eu não me preocupasse se Michael ia contar aos amigos na escola sobre minha mãe e o sr. G, uma vez que ele não tem amigos. E em seguida Lilly quis saber por que eu me importava que as narinas do sr. Gianini fossem tão destacadas, já que eu não sou a pessoa que tem que olhar para elas, mamãe é que tem.

E eu disse: "Pera aí, eu tenho que olhar pra elas das 9:55h às 10:55h e das 2:30h até 3:30h TODOS OS DIAS, menos nos sábados, domingos, feriados e nas férias. Isso se eu não levar pau e ficar em recuperação."

E, se eles se casarem, vou ter que olhar para elas TODOS OS DIAS, SETE DIAS POR SEMANA, E NOS FERIADOS E NAS FÉRIAS TAMBÉM.

Definir conjunto: coleção de objetos, elementos ou membros que pertencem a um conjunto.

A = {Gilligan, Skipper, Mary Ann}
a regra especifica cada elemento
A = {x/x é um dos náufragos na ilha Gilligan}

Sexta-feira, 26 de Setembro

LISTA DOS CARAS MAIS GOSTOSOS, PREPARADA POR LILLY MOSCOVITZ
(compilada durante a aula de Civilizações Mundiais, com comentários de Mia Thermopolis)

1. Josh Richter (concordo — 1,92 sem defeitos do que há de mais gostoso. Cabelos louros caindo muitas vezes sobre os olhos azul-claros e aquele sorriso doce, sonhador. Único defeito: tem o mau gosto de namorar Lana Weinberger)
2. Boris Pelkowski (discordo totalmente. Simplesmente porque ele tocou aquele violino chato no Carnegie Hall quando tinha doze anos de idade, este fato não o torna gostoso. Além disso, ele enfia o suéter da escola por dentro da calça, em vez de usar solto como toda pessoa normal)
3. Pierce Brosnan, o melhor James Bond que já houve (discordo — gosto muito mais de Timothy Dalton)
4. Daniel Day Lewis, no filme *O Último dos Moicanos* (concordo — ele continua vivo, aconteça o que acontecer)
5. Príncipe William, da Inglaterra (argh)
6. Leonardo, no filme *Titanic* (Como ele era! Isto é, em 1998)
7. Sr. Wheaton, o professor de educação física (gostoso, mas já tem dona. Visto abrindo a porta da sala dos professores para Mademoiselle Klein)

8. Aquele cara usando jeans naquele cartaz gigantesco no Times Square (concordo inteiramente. Quem É aquele cara? Deviam dar uma série de TV só pra ele)
9. O namorado da Curandeira na série *Dr. Quinn* (o que foi que aconteceu com ele? Ele era gostoso!)
10. Joshua Bell, o violinista (concordo inteiramente. Seria tão legal namorar com um músico — desde que não fosse Boris Pelkowski).

Mais Tarde, na Sexta-feira

Eu estava tirando a medida dos meus seios e nem de longe pensando que minha mãe tinha saído com meu professor de álgebra quando meu pai telefonou. Não sei por quê, mas menti e disse a ele que mamãe estava no estúdio. O que era muito esquisito de minha parte, porque papai sabe que mamãe namora. Mas, por alguma razão, eu simplesmente não pude dizer nada a ele sobre o sr. Gianini.

Naquela tarde, durante minha sessão obrigatória de revisão da matéria com o sr. Gianini, eu estava sentadinha praticando o método DEMONSTRAÇÃO POR ABSURDO (primeiro, por fora, por dentro, por último; primeiro, por fora, por dentro, por último... Oh, meu Deus, quando, se algum dia, vou ter que usar o método DEMONSTRAÇÃO POR ABSURDO pra valer em minha vida? QUANDO???) e, de repente, o sr. Gianini disse: "Mia, tenho esperança de que você não se sinta, bem, constrangida, com o fato de eu sair socialmente com sua mãe."

Apenas por alguma razão, e por um segundo, pensei que ele havia dito SEXUALMENTE, e não socialmente. E logo senti que meu rosto ficava quente, quente. Quero dizer, como se eu estivesse QUEIMANDO. E eu disse: "Oh, não, sr. Gianini, eu não me incomodo, absolutamente."

E o sr. Gianini disse: "Porque, se a incomodar, nós podemos conversar sobre esse assunto."

Acho que ele deve ter compreendido que eu estava mentindo, já que eu estava com o rosto tão vermelho.

Mas tudo o que eu disse foi: "Pra dizer a verdade, não me incomoda. Quero dizer, me incomoda um POUCO, mas, pra dizer a verdade, tudo bem. Quero dizer, é simplesmente um namoro, não é? Por que eu devo ficar preocupada com uma bobagem de namoro?"

E foi nesse momento que o sr. Gianini disse: "Bem, Mia, não sei se vai ser uma simples bobagem. Eu gosto muito, mesmo, da sua mãe."

E logo em seguida, nem mesmo sei como, mas de repente, ouvi eu mesma responder: "É melhor que goste. Porque se o senhor fizer alguma coisa pra fazer ela chorar, eu lhe dou uma porrada nos cornos."

Oh, meu Deus! Eu nem mesmo acredito que disse a palavra cornos a um professor! Meu rosto ficou ainda MAIS VERMELHO depois disso, o que eu jamais teria julgado possível. Por que é que a única vez em que posso dizer a verdade é quando isso vai me meter na certa numa encrenca?

Mas acho que estou me sentindo meio esquisita sobre essa situação toda. Talvez os pais de Lilly tenham razão.

O sr. Gianini, porém, ficou inteiramente calmo. Sorriu daquele jeito esquisito e disse: "Eu não tenho a menor intenção de fazer sua mãe chorar, mas, se isso acontecer, você tem minha permissão para me dar uma porrada nos cornos."

Então estava tudo OK, mais ou menos.

De qualquer modo, papai pareceu muito esquisito ao telefone. Mas, também, ele sempre parece. Telefonemas transatlânticos me tiram do sério porque posso ouvir o mar se mexendo no fundo e isso me deixa toda nervosa, como se peixes estivessem escutando, ou coisa assim. Além disso, papai nem mesmo queria conversar comigo. Queria falar com mamãe. Acho que alguém morreu e ele queria que mamãe, com jeito, me desse a notícia.

Talvez tenha sido Grandmère. Hummmm...

Meus seios não cresceram absolutamente nada desde o último verão. Mamãe estava inteiramente errada. Eu não tive uma explosão de crescimento quando fiz quatorze anos, como ela. Eu provavelmente nunca vou ter uma explosão de crescimento, pelo menos não no peito. Só tive explosões de crescimento PARA CIMA e não PARA FORA. Eu sou agora a garota mais alta da classe.

Se alguém me tirar no Baile da Diversidade Cultural no mês que vem (isso mesmo, certo), não vou poder usar tomara que caia porque não há nada no meu peito pra segurar o vestido.

Sábado, 27 de Setembro

Eu estava dormindo quando mamãe voltou para casa do encontro com o namorado (fiquei acordada até quanto podia, porque queria saber o que havia acontecido, mas acho que toda aquela medição me esgotou), de modo que não perguntei a ela como foi a coisa até esta manhã, quando entrei na cozinha para dar a ração de Fat Louie. Mamãe já estava de pé, o que era esquisito, porque em geral ela acorda mais tarde do que eu, e eu sou uma adolescente, e todo mundo espera que seja eu que durma o tempo todo.

Mas mamãe tem andado deprimida desde que descobriu que seu último namorado era republicano.

De qualquer modo, ela estava ali, cantarolando feliz e fazendo panquecas. Eu quase morri do choque de vê-la preparando, mesmo, alguma coisa tão cedo assim pela manhã, quanto mais uma coisa vegetariana.

Claro, ela se divertiu que foi uma coisa. Foram jantar no Monte's (nada de segunda classe para o sr. G!), passearam depois pelo West Village, foram para algum bar e ficaram sentados no jardim dos fundos até quase duas da matina, simplesmente conversando. Eu tentei mais ou menos descobrir se tinha havido alguns beijos, principalmente da variedade língua-dentro-da-boca, mas ela simplesmente sorriu e pareceu muito embaraçada.

Tudo bem. Vulgar.

Eles vão sair juntos novamente esta semana.

Acho que não me importo, se isso a faz tão feliz assim.

Hoje, Lilly vai mostrar uma cena do filme *A Bruxa de Blair* em seu programa na TV, *Lilly Tells It Like It Is* [Lilly Diz a Coisa Como a Coisa É]. *A Bruxa de Blair* é sobre uns garotos que entram no bosque à procura de uma feiticeira e acabam desaparecendo. Deles só são encontrados alguns metros de filme e umas pilhas de gravetos. Apenas, em vez de *A Bruxa de Blair*, a versão de Lilly tem o título de *A Bruxa Verde*. A intenção de Lilly é levar uma câmera de mão até o Washington Square Park e filmar turistas que se aproximam de nós e perguntam se sabemos como se chega a Green Witch Village. (Na verdade, é Greenwich Village... mas a gente não deve pronunciar o *w* em *Greenwich*. Mas, também, pessoas de fora da cidade sempre pronunciam o nome errado.)

De qualquer modo, quando turistas se aproximarem e nos perguntarem como ir a Green Witch Village, a gente deve começar a gritar e fugir correndo apavorada. Tudo que vai sobrar de nós no fim, disse Lilly, vai ser uma pequena pilha de bilhetes de metrô. Lilly diz que depois que o programa for transmitido, ninguém mais vai pensar da mesma maneira nos bilhetes de metrô.

Eu disse que era uma pena que a gente não tivesse uma feiticeira de verdade. Pensei que a gente pudesse convencer Lana Weinberger a fazer esse papel, mas Lilly disse que isso seria usar um personagem real no papel. Além do mais, a gente teria que aguentar Lana o dia inteiro, e ninguém quer isso. Isso se ela desse mesmo as caras, sabendo que ela nos considera as garotas mais impopulares da escola. Ela provavelmente não vai querer manchar sua reputação sendo vista em nossa companhia.

Mas, também, ela é tão fútil que provavelmente agarraria com unhas e dentes a oportunidade de aparecer na TV, mesmo em um canal aberto.

Terminadas as filmagens do dia, todas nós vimos o Cara Cego cruzando a Bleecker. Ele tinha uma nova vítima. Aquela turista alemã totalmente inocente não fazia a menor ideia de que o cego bondoso que estava ajudando a cruzar a rua iria boliná-la logo que chegassem do outro lado, e depois fingir que não havia feito isso de propósito.

Que sorte a minha! O único cara que me bolinou na vida (não que a gente sinta nada de especial) era CEGO.

Lilly disse que vai denunciar o Cara Cego ao 6º Distrito Policial. Como se eles fossem ligar pra isso. Eles têm coisas mais importantes com que se preocupar. Como prender assassinos.

COISAS PARA FAZER

1. Pegar a areia do gato
2. Fazer mamãe depositar o cheque do aluguel
3. Parar de mentir
4. Projeto para o trabalho de inglês
5. Pegar a roupa na lavanderia
6. Parar de pensar em Josh Richter

Domingo, 28 de Setembro

Papai ligou hoje e, desta vez, mamãe estava realmente no estúdio, de modo que não me senti mal por ter mentido na noite passada e não ter contado a ele sobre o sr. Gianini. Ele pareceu muito esquisito no telefone de novo, então perguntei: "Papai, vovó morreu?" Ele tomou um susto e disse: "Não, Mia, por que você pensaria numa coisa dessas?"

Eu disse que era porque ele parecia muito esquisito, e ele disse: "Oh, eu não estou nada esquisito", o que era uma mentira, porque ele parecia MESMO esquisito. Mas resolvi deixar passar e falei a ele sobre a Islândia, porque a gente está estudando a Islândia em Civilizações Mundiais. A Islândia tem a taxa de alfabetização mais alta do mundo, porque o povo de lá não tem nada para fazer, apenas ler. E lá também existem aquelas fontes de água quente e todo mundo nada nelas. Uma vez, uma companhia de ópera foi à Islândia, todos os espetáculos tiveram lotação esgotada e cerca de 98 por cento da população compareceram. Todos conheciam as letras das óperas e passaram o dia inteiro cantando.

Eu gostaria de viver lá um dia. Parece um lugar divertido. Muito mais do que Manhattan, onde, às vezes, pessoas cospem em nós sem motivo.

Mas papai não pareceu tão impressionado assim com a Islândia. Acho que, na comparação, a Islândia faz todos os outros países parecerem chatos. Mas papai mora em um país muito pequeno. Acho que se a companhia de ópera fosse até lá, uns 80 por cento da população iriam assistir, o que seria certamente motivo de orgulho.

Eu só dei essa informação a ele porque ele é um político e achei que poderia lhe dar algumas ideias sobre como tornar as coisas melhores em Genovia, onde ele mora. Mas eu também acho que Genovia não precisa ser melhor do que é. A principal importação de Genovia é de turistas. Sei disso porque, na sétima série, tive que fazer uma redação sobre todos os países da Europa, e Genovia empatava com a Disneylândia na renda gerada por turistas. Acho que é por isso que os habitantes de Genovia não têm que pagar imposto. O governo tem dinheiro suficiente. Esse lugar é chamado de principado. O único lugar igual é Mônaco. Meu pai diz que a gente tem um bocado de primos em Mônaco, mas até agora não conheci nenhum deles, nem na casa de Grandmère.

Eu sugeri a papai que, no próximo verão, em vez de passar as férias com ele no castelo francês de Grandmère, em Miragnac, a gente vá para a Islândia. A gente teria que deixar Grandmère no castelo, claro. Ela odiaria a Islândia. Ela odeia qualquer lugar onde a gente não pode pedir um bom Sidecar, que é a bebida preferida dela, 24 horas por dia.

Tudo que papai disse foi: "A gente fala sobre isso outra hora", e desligou.

Mamãe tem muita razão no que diz sobre ele.

Valor absoluto: a distância entre um dado número e o zero em uma série de números... sempre positivo.

Segunda-feira, 29, S & T

Hoje observei o sr. Gianini com todo cuidado, procurando sinais de que ele poderia não ter gostado tanto do encontro com mamãe quanto ela. Mas ele parecia estar de excelente humor. Durante a aula, quando estávamos aprendendo a fórmula da equação do segundo grau (o que foi que aconteceu com a DEMONSTRAÇÃO POR ABSURDO? Eu estava justamente começando a compreender a coisa quando, de repente, aparece uma coisa NOVA. Não é de espantar que eu esteja levando pau), ele perguntou se alguém havia se apresentado para um papel no musical de outono da escola, *My Fair Lady*.

Em seguida, da maneira de quando fica empolgado com alguma coisa, ele disse o seguinte: "Vocês querem saber quem seria uma boa Eliza Doolittle? Mia, acho que você seria ótima para o papel."

Eu pensei que fosse morrer na hora. Acho que o sr. Gianini só queria ser bonzinho — quero dizer, ele está namorando com minha mãe, afinal de contas — mas estava TÃO por fora. Em primeiro lugar porque, claro, já fizeram audições para escolha da menina que vai fazer a personagem, e mesmo que eu tivesse me apresentado para um papel (o que eu não podia fazer, porque estou levando bomba em álgebra, alô, sr. Gianini, o senhor se lembrou disso?) eu NUNCA o teria conseguido, quanto mais o PAPEL PRINCIPAL. Eu não sei cantar. E mal consigo *falar*.

Nem Lana Weinberger, que sempre ganhava o papel principal na escola, conseguiu. O papel foi dado a uma veterana. Lana faz o papel de uma empregada doméstica, uma espectadora nas Corridas de Ascot e uma prostituta londrina. Lilly é a gerente da casa. O trabalho dela é ligar e desligar as luzes durante os intervalos.

Fiquei tão apavorada com o que o sr. Gianini disse que não consegui dizer nada. Fiquei simplesmente sentada no meu lugar e senti que estava ficando toda vermelha. Talvez esse tenha sido o motivo por quê, quando Lilly e eu passamos por meu armário na hora do almoço, Lana, que estava ali esperando por Josh, disse com a voz mais melosa possível, "Oh, olá, *Amelia*", embora ninguém me chame de Amelia (exceto Grandmère) desde o jardim de infância, quando eu pedi a todo mundo que não me chamasse por esse nome.

Quando me curvei para tirar o dinheiro da mochila, Lana deve ter dado uma boa olhada pelo decote de minha blusa, porque, de repente, começou a falar: "Oh, que lindo. Estou vendo que você ainda não pode usar sutiã. Posso sugerir Band-Aids?"

Eu devia ter partido para a briga e dado um soco na cara dela — bem, provavelmente, não; os drs. Moscovitz dizem que eu tenho problemas em questões de confronto — se Josh Richter não tivesse passado por ali NAQUELE EXATO MOMENTO. Tenho certeza de que ele ouviu muito bem, mas tudo que disse foi: "Dá licença?", para Lilly, que estava bloqueando o caminho dele para o armário.

Eu estava disposta a deixar passar, ir para a lanchonete e esquecer tudo aquilo — Deus, é só o que faltava, minha falta de seios mencionada bem em frente de Josh Richter! — mas Lilly não se conformou. Ficou toda vermelha e disse a Lana: "Por que você não faz um favor à gente, vai se enroscar em algum canto e morre, Weinberger?"

Bem, ninguém diz a Lana Weinberger para ir se enroscar em algum canto e morrer. Quero dizer, ninguém mesmo. Não, se não quiser seu nome escrito em todas as paredes do banheiro das meninas. Não que isso fosse uma coisa horrível — quero dizer, nenhum garoto ia ver isso no sanitário das meninas —, mas eu gosto de manter, na maior parte do tempo, meu nome longe de paredes.

Mas Lilly não se importa com essas coisas. Quero dizer, ela é baixota, meio gorda e parece uma espécie de cachorrinho pug, mas não dá a mínima bola para sua aparência. Quero dizer, ela tem seu próprio programa de TV, caras ligam para ela o tempo todo e dizem que a acham horrível e pedem para ela levantar a saia (*ela* tem peito, já usa sutiã), mas ela simplesmente morre de rir.

Lilly não tem medo de nada.

Então, quando Lana Weinberger partiu pra cima dela por ter mandado que ela se enroscasse em algum canto e morresse, Lilly simplesmente olhou-a bem na cara como se estivesse dizendo: "Morda, se tem coragem."

A coisa poderia ter se transformado em uma briga de garotas gigantes — Lilly assistiu a todos os episódios de *Xena, a Princesa Guerreira*, e pode lutar com os pés como ninguém —, se Josh não tivesse fechado a porta do armário com força e dito "Estou lá fora" de um jeito enjoado. Nesse momento, Lana desistiu da briga e saiu correndo atrás dele, dizendo: "Josh, espere. Espere, Josh!"

Lilly e eu ficamos uma olhando para a outra, como se a gente não pudesse acreditar. Eu ainda não posso. Quem são essas pessoas e por que eu tenho que ficar presa com elas todos os dias?

DEVER DE CASA

Álgebra: problemas 1-12, pág. 79

Inglês: projeto

Civilizações Mundiais: questões no fim do Capítulo 4

S & T: nenhum

Francês: usar *avoir* em uma frase negativa, ler lições um a três, *pas de plus*

Biologia: nenhuma

B = {x/x é um número inteiro}

D = {2, 3, 4}

4ED

5ED

E = {x/x é um número integral maior que 4 mas menor do que 258}

Terça-feira, 30 de Setembro

Aconteceu uma coisa muito esquisita. Voltei da escola para casa e encontrei mamãe (ela geralmente passa o dia no estúdio durante a semana). Tinha uma expressão estranha no rosto e, em seguida, começou: "Preciso ter uma conversa com você."

Ela não estava mais cantarolando e nem havia cozinhado nada, então tive certeza de que era coisa séria.

Eu andava com alguma esperança de que Grandmère tivesse morrido, mas sabia que tinha que ser coisa muito pior do que isso, e fiquei preocupada, pensando que alguma coisa havia acontecido com Fat Louie, como se ele tivesse engolido outra meia. Na última vez que ele fez isso, o veterinário cobrou mil dólares para tirar a meia do intestino delgado dele, e ele andou pela casa com uma expressão estranha no rosto durante quase um mês.

Fat Louie, quero dizer. Não o veterinário.

Mas descobri que a coisa nada tinha a ver com meu gato. Era sobre papai. A razão por que ele havia continuado a telefonar era que queria nos dizer que tinha acabado de descobrir que, por causa de um câncer, não poderia ter mais filhos.

Câncer é uma coisa assustadora. Por sorte, o tipo de câncer que meu pai tinha era fácil de curar. Os médicos tiveram apenas que cortar a parte cancerosa e, em seguida, ele passou a fazer quimioterapia e, após um ano, mais ou menos, o câncer não voltou.

Infelizmente, a parte que haviam cortado era o...

Não gosto nem de escrever isso.

O *testículo*.

VULGAR!

Acontece que, quando o cara tem um dos testículos removido e em seguida faz quimioterapia, é muito grande a probabilidade de se tornar estéril. E era isso que meu pai tinha acabado de descobrir.

Mamãe disse que ele está realmente arrasado. E que vamos ter que ser muito compreensivas com ele agora, porque homens têm necessidades, e uma delas é a de sentir que é capaz de fazer filhos.

O que eu não compreendi foi: qual é o grande problema? Para que ele quer mais filhos? Ele já me tem! Claro, eu só o vejo no Natal e nos verões, mas isso é suficiente, não é? Quero dizer, ele anda muito ocupado governando Genovia. Não é brincadeira fazer com que um país inteiro, mesmo que só tenha uns dois quilômetros de comprimento, funcione direitinho. A única coisa para a qual ele tem tempo, depois de mim, são as namoradas dele. Ele sempre tem uma nova namorada. No verão, quando vamos para o castelo de Grandmère na França, ele sempre leva a moça da vez. Elas ficam sempre babando com as piscinas, as cocheiras, a cachoeira, os 27 quartos, o salão de baile, a adega, a fazenda e a pista de pouso.

Uma semana depois, manda a moça passear.

Eu não sabia que ele queria casar com uma delas e ter filhos.

Quero dizer, ele nunca se casou com minha mãe. Minha mãe diz que isso aconteceu porque, na época, ela rejeitava os costumes burgueses de uma sociedade que nem mesmo aceitava as mulheres como iguais aos homens e se recusava a reconhecer os direitos dela como pessoa.

Eu sempre pensei que meu pai talvez nunca a tivesse pedido em casamento.

De qualquer modo, ela me disse que papai chega amanhã a Nova York de avião para conversar comigo sobre esse assunto. Não sei por quê. Quero dizer, o assunto nada tem a ver comigo. Mas quando eu disse a ela: "Por que papai tem que voar essa distância toda até aqui para conversar comigo sobre o fato de que não pode ter filhos?", ela ficou novamente com aquela expressão estranha, começou a dizer alguma coisa, mas depois parou.

Em seguida, disse, simplesmente: "Você vai ter que perguntar a seu pai."

Isso não é nada bom. Mamãe só diz "Pergunte a seu pai" quando eu quero saber alguma coisa que ela não tem vontade de me dizer, como o motivo por que pessoas matam às vezes os próprios filhos e por que os americanos comem tanta carne vermelha e leem muito menos do que os habitantes da Islândia.

Nota para mim mesma: Procure no dicionário as palavras *procriador*, *onipotente* e *costumes*.

lei distributiva

$5x + 5y - 5$

$5(x + y - 1)$

Distribuir O QUÊ??? DESCUBRA ANTES DO TESTE!!!

Quarta-feira, 1º de Outubro

Meu pai está aqui. Bem, não aqui no sótão. Está hospedado no Plaza, como sempre. Devo visitá-lo amanhã, depois de ele ter "repousado". Meu pai repousa um bocado agora que teve câncer. Deixou também de jogar polo. Mas acho que isso aconteceu porque um cavalo pisou nele uma vez.

De qualquer maneira, eu odeio o Plaza. Na última vez que meu pai esteve lá, não me deixaram subir porque eu estava usando short. A dona do lugar estava lá, disseram, e ela não gosta de ver pessoas seminuas na recepção do seu luxuoso hotel. Tive que ligar para meu pai de um telefone e pedir a ele que me trouxesse uma calça comprida. Ele me disse apenas que botasse a recepcionista na linha, e de repente todo mundo estava me pedindo desculpas, como uns malucos. Deram-me uma grande cesta cheia de frutas e chocolates. Legal. Mas eu não queria as frutas, então dei tudo a um morador de rua que vi no metrô em meu caminho de volta ao Village. Eu acho que ele também não queria as frutas, porque jogou tudo na calçada e ficou só com a cesta para usar como chapéu.

Contei a Lilly o que meu pai havia dito, que não podia mais ter filhos, e ela disse que aquilo era muito impressionante. Ela achou que o fato revelava que meu pai ainda tinha problemas não resolvidos com os pais dele, e eu respondi: "Humm, ahn. Grandmère é um saco."

Lilly disse que meu pai talvez esteja com medo de perder a juventude, o que para muitos homens é igual a perder a virilidade. Eu penso mesmo que deviam passar Lilly para uma classe mais adiantada, mas ela diz que gosta de ser caloura. Diz ainda que, dessa maneira, vai ter quatro anos inteiros para fazer observações sobre a condição de adolescente na América Pós-Guerra Fria.

A PARTIR DE HOJE, EU...

1. Serei legal com todas as pessoas, goste delas ou não
2. Deixarei de mentir o tempo todo sobre meus sentimentos
3. Nunca mais esquecerei meu caderno de álgebra
4. Guardarei para mim mesma meus comentários
5. Não escreverei mais minhas notas de álgebra neste diário

A terceira potência de x é chamada de cubo de x — números negativos não têm raiz quadrada

Notas de S & T

Lilly — Eu não consigo aguentar isso. Quando é que ela vai voltar para a sala das professoras?

Talvez nunca. Ouvi dizer que estavam lavando o carpete hoje. Deus, ele é tão BONITINHO.

Quem é bonitinho?

BORIS!

Ele não é bonitinho. Ele é vulgar. Veja só o que ele faz com o suéter dele. Por que é que ele FAZ isso?

Você tem mentalidade estreita.

Eu NÃO tenho mentalidade estreita. Mas alguém deve dizer a ele que, nos Estados Unidos, a gente não enfia o suéter na calça.

Bem, na Rússia talvez façam isso.

Mas isto aqui não é a Rússia. Além disso, alguém deve dizer a ele para aprender uma nova canção. Se eu tiver que ouvir mais uma vez aquele réquiem ao falecido Rei Como-É-o-Nome-Dele...

Você está apenas com ciúmes porque Boris é um gênio musical e você está levando pau em álgebra.

Lilly, estar levando pau em álgebra NÃO significa que eu sou burra.

OK, OK. O que há de errado com você hoje?

NADA!!!!

inclinação: a inclinação de uma linha chamada de m é $m = \frac{y2 - y1}{x2 - x1}$

Encontrar a equação de uma linha com inclinação = 2

Encontrar o grau de inclinação das narinas do sr. G

Quinta-feira, 2 de Outubro, Banheiro Feminino no Plaza Hotel

Bem...

Acho que agora sei por que meu pai está tão preocupado por não ser mais capaz de ter filhos.

PORQUE ELE É UM PRÍNCIPE!!!

Meu Deus! Por quanto tempo eles pensavam que poderiam esconder isso de mim?

Embora, pensando bem, tenham conseguido fazer isso por muito tempo. Quero dizer, ESTIVE em Genovia. Miragnac, aonde vou todos os verões, e também na maioria dos Natais, é o nome da casa de minha avó na França. Ela fica, na verdade, na fronteira com a França, bem perto de Genovia, que fica entre a França e a Itália. Eu vou a Miragnac desde que nasci. Mas nunca com minha mãe. Só com meu pai. Minha mãe e meu pai nunca moraram juntos. Ao contrário de um monte de garotas que conheço, que vivem desejando que seus pais voltem a viver juntos depois de terem se divorciado, eu me sinto perfeitamente feliz com esse arranjo. Meus pais se separaram antes de eu nascer, embora tenham mantido sempre relações amigáveis. Isto é, exceto quando meu pai está mal-humorado, ou quando minha mãe está pelo avesso, como acontece de vez em quando. Acho que as coisas piorariam muito, se morassem juntos.

De qualquer modo, Genovia é o lugar aonde minha avó me leva para comprar roupas ao fim de todos os verões, quando fica cansada de olhar para minhas roupas. Mas ninguém lá jamais disse algo como meu pai ser um PRÍNCIPE.

Agora me lembro que, há uns dois anos, fiz um dever sobre Genovia e copiei o nome da família real, que é Renaldo. Mas mesmo nessa ocasião não liguei o nome da família ao do meu pai. Sei que o nome dele é Phillipe Renaldo. Mas o nome do príncipe de Genovia estava listado, na enciclopédia que consultei, como Artur Christoff Phillipe Gerard Grimaldi Renaldo.

E aquela foto dele devia ser muito velha, velha. Papai já não tinha mais cabelo nenhum antes de eu ter nascido (de modo que, quando fez quimioterapia, não dava nem pra ver, por ele já ser praticamente careca). A foto do príncipe de Genovia mostrava alguém com UM BOCADO de cabelo, costeleta e até bigode.

Agora posso entender por que minha mãe se apaixonou por ele, naquele tempo em que ela estava na faculdade. Ele tinha alguma coisa de um Baldwin.

Mas um PRÍNCIPE? De um PAÍS inteiro? Isto é, eu sabia que ele estava na política e, claro, que ele tinha dinheiro... Quantas garotas de minha escola têm casas de verão na França? Em Martha's Vineyard, talvez, mas não na França... Mas um PRÍNCIPE?

Então, o que eu quero saber é o seguinte: se meu pai é um príncipe, por que eu tenho que aprender álgebra?

Estou falando sério.

Não acho que tenha sido uma boa ideia de papai me dizer na Palm Court, no Plaza, que era um príncipe. Em primeiro lugar, quase tivemos uma reencenação do incidente com o short. No início, o porteiro não quis nem me deixar entrar. Ele disse: "Nenhum menor de idade sem companhia de um adulto", o que acabava com toda aquela xaropada do filme *Esqueceram de mim 2*, certo?

E eu só dizia: "Mas, eu vim aqui para me encontrar com meu pai..."

"Nenhum menor de idade", repetiu o porteiro, "sem companhia de um adulto."

Isso parecia totalmente injusto. Eu nem estava usando short. Estava vestida com meu uniforme da Albert Einstein. Quero dizer, saia plissada, meias pelos joelhos, a coisa toda. Tudo bem, eu talvez estivesse usando Doc Martens, mas, ora vamos! Eu ERA praticamente aquela garota Eloise, que supostamente mandava e desmandava no Plaza.

Finalmente, depois de ficar em pé ali durante quase meia hora, dizendo o tempo todo "Mas meu pai... mas meu pai... mas meu pai...", a recepcionista apareceu e perguntou: "Quem é o seu pai, mocinha?"

Logo que eu disse o nome, ela me deixou entrar. Acho que isso foi porque até ELES sabiam que ele era um príncipe. Mas à filha dele, à propria filha dele, ninguém dizia isso!

Encontrei papai à minha espera numa mesa. Todo mundo acha que chá no Plaza é um negócio importante à beça. Vocês deviam ver todos aqueles turistas alemães batendo fotos uns dos outros enquanto comiam bolinhos de aveia com chocolate. De qualquer modo, eu ficava toda animada quando era menininha e, como meu pai se recusa a acreditar que 14 anos não é mais idade de menininha, a gente ainda se encontra lá quando ele está na cidade. Oh, a gente também vai a outros lugares. Por exemplo, a gente sempre vai assistir a *A Bela e a Fera*, meu eterno musical favorito da Broadway. Não dou a mínima para o que Lilly diz sobre Walt Disney e sua suposta aversão a mulheres. Eu vi a peça sete vezes.

E meu pai também. A parte favorita dele é quando aparecem os garfos dançantes.

De qualquer modo, a gente estava ali tomando chá e ele começa a me dizer em uma voz muito séria que ele é o príncipe de Genovia e essa coisa terrível acontece:

Começo a ter soluços.

Isso só acontece quando bebo alguma coisa quente e como pão depois. Não sei por quê. Isso nunca aconteceu antes no Plaza, mas, de repente, meu pai começou a falar assim: "Mia, eu quero que você saiba a verdade. Acho que você já tem idade suficiente agora e o fato é o seguinte: agora que eu não posso mais ter filhos, esta situação vai produzir um impacto enorme em sua vida, e é apenas justo que eu lhe diga. Eu sou o príncipe de Genovia."

E tudo que eu disse foi: "É mesmo, papai?" *Soluço*.

"Sua mãe sempre acreditou sinceramente que não havia nenhuma razão para você saber isso e eu concordei com ela. Eu tive uma infância... bem, muito insatisfatória..."

E ele não estava brincando. Viver com Grandmère não podia, de jeito nenhum, ter sido um piquenique. *Soluço*.

"Concordei com sua mãe que um palácio não é lugar para se criar uma menina." Logo depois ele começou a resmungar consigo mesmo, o que sempre acontece quando digo a ele que sou vegetariana ou surge o assunto de mamãe. "Claro, na ocasião eu não pensava que ela tivesse a intenção de criar você no sótão de uma artista boêmia em Greenwich Village, mas reconheço que isso não parece ter lhe causado qualquer mal. Para dizer a verdade, acho que crescer na cidade de Nova York instilou em você um sadio volume de ceticismo sobre a raça humana em geral..."

Soluço. E ele nem conhecia Lana Weinberger.

"...que é algo que só adquiri na faculdade e que acredito ser responsável, em parte, pelo fato de eu ter tanta dificuldade em estabelecer relacionamentos interpessoais íntimos com mulheres..."

Soluço.

"O que estou querendo dizer é que sua mãe e eu pensamos que, não lhe dizendo nada, estávamos lhe fazendo um favor. O fato é que nunca imaginamos que poderia surgir uma situação na qual você poderia ascender ao trono. Eu tinha apenas vinte e cinco anos quando você nasceu. Eu tinha certeza de que ia conhecer outra mulher, casar com ela e ter mais filhos. Mas agora, infelizmente, isso nunca vai acontecer. De modo que você, Mia, é a herdeira do trono de Genovia."

Tive outro soluço. A coisa estava ficando embaraçosa. Não eram soluços bonitinhos de mocinha educada. Eram enormes e faziam meu corpo todo pular da cadeira como se eu fosse algum tipo de rã de 1,80 de altura. Eles eram altos também. Quero dizer, altos mesmo. Os turistas alemães continuavam a olhar para nós, soltando risinhos e fazendo outras coisas. Eu sabia que aquilo que papai me dizia era super-sério, mas não podia controlar os soluços. Simplesmente, continuava a soluçar! Tentei prender a respiração e contar até trinta...

Só cheguei até dez, antes de soluçar de novo. Botei um cubo de açúcar em cima da língua e deixei que se dissolvesse ali. De nada adiantou. Tentei pregar um susto em mim mesma, pensando em minha mãe e o sr. Gianini em um beijo de língua — e nem isso funcionou.

Finalmente, papai disse: "Mia? Mia, você está me ouvindo? Ouviu alguma palavra do que eu disse?"

Eu disse: "Papai, você pode me dar licença por um minuto?"

Ele pareceu magoado, como se o estômago lhe doesse, e voltou a se afundar na cadeira, daquele seu jeito de derrotado, mas disse: "Pode ir", e me deu cinco dólares para dar à servente do banheiro, que eu, claro, guardei para mim. Cinco dólares para a servente! Meu Deus, minha mesada inteira é de dez dólares por semana!

Não sei se você já esteve alguma vez no banheiro feminino do Plaza, mas é, com certeza, o mais legal de Manhattan. É todo cor-de-rosa, com espelhos e pequenos sofás por todos os lados, para o caso de a gente se olhar e sentir ânsia de desmaiar por causa de nossa beleza ou qualquer coisa assim. Entrei batendo a porta, soluçando feito uma louca, e todas aquelas mulheres em seus penteados chiques ergueram os olhos, aborrecidas com a interrupção. Acho que fiz com que elas borrassem o batom ou alguma outra coisa.

Fui até um dos reservados, cada um dos quais, além do vaso, tem uma pia particular com um espelho enorme e uma penteadeira com uma banqueta com borlas pendentes. Sentei-me no vaso e concentrei-me não em não soluçar mais, mas apenas no que meu pai havia dito.

Ele é o príncipe de Genovia.

Nesse momento, um monte de coisas começou a fazer sentido. Como, por exemplo, quando eu viajava de avião para a França, entrava pelo terminal, mas, quando chegava lá, era escoltada para fora do avião antes de todo mundo e embarcava numa limusine para ir ao encontro dele em Miragnac.

Eu sempre pensei que isso acontecesse porque ele tinha privilégios de viajante habitual na companhia.

Agora acho que era porque ele é príncipe.

E também o fato de que sempre que Grandmère me levava às compras em Genovia isso acontecia antes ou depois do expediente das lojas. Ela telefonava antes para que houvesse gente à nossa espera e jamais alguém disse não. Em Manhattan, se minha mãe tentasse fazer isso, as vendedoras da Gap teriam morrido de rir.

E quando estou em Miragnac nós nunca saímos para jantar em algum lugar. Sempre fazemos as refeições no castelo ou, às vezes, em outro castelo próximo, Mirabeau, de propriedade de um daqueles nojentos britânicos que têm um monte de filhos esnobes, que dizem coisas como "Isso é podre" ou "Você é um punheteiro". Uma das meninas mais novas, Nicole, era meio minha amiga, mas, uma noite, ela me contou que estava fazendo amor francês com um garoto francês, e eu não sabia o que era amor francês. Eu só tinha 11 anos nessa época, o que não é desculpa, porque ela também só tinha 11. Eu simplesmente pensava que amor francês era alguma esquisitice britânica, como gafanhoto frito, ataques aéreos ou coisa assim. E falei nisso na mesa do jantar, na frente dos pais de Nicole, e daí em diante nenhuma das crianças falou mais comigo.

Eu bem que gostaria de saber se os britânicos sabem que meu pai é o príncipe de Genovia. Aposto que sabem. Deus, eles devem ter pensado que eu era retardada ou coisa parecida.

A maioria das pessoas nunca ouviu falar em Genovia. Sei que quando tivemos que fazer nossas pesquisas, nenhum dos garotos sabia que país era esse. Nem minha mãe, é o que ela diz, antes de conhecer meu pai. Ninguém famoso nasceu nesse lugar. E quem nasceu lá jamais inventou alguma coisa, escreveu alguma coisa ou se tornou astro ou estrela do cinema. Muitos genovianos, como meu avô, lutaram contra os nazistas na II Guerra Mundial, mas, fora isso, não são realmente conhecidos por coisa nenhuma.

Ainda assim, pessoas que ouviram falar em Genovia adoram ir lá porque o lugar é belíssimo, com sol quase o tempo todo, com os Alpes cobertos de neve lá nos fundos e o Mediterrâneo cristalino bem na frente. O país tem um monte de colinas, algumas delas tão inclinadas quanto as de San Francisco e a maioria com oliveiras crescendo nos lados. O principal produto de exportação de Genovia, lembro por causa do meu trabalho de pesquisa, é azeite de oliva, o tipo caro pra caramba que mamãe só usa para temperar salada.

Lá há também um palácio. É mais ou menos famoso porque foi usado uma vez como cenário de um filme, um filme sobre os três mosqueteiros. Eu nunca estive lá, mas passamos de carro por fora, eu e Grandmère. O palácio tem todas aquelas torretas, contrafortes avançados, esse tipo de coisa.

Estranho que Grandmère nunca tenha dito, quando a gente passava de carro por lá, que morou ali em outros tempos.

Meus soluços sumiram. Acho que posso voltar sem medo a Palm Court.

Vou dar um dólar à atendente do sanitário, mesmo que ela não tenha me atendido.

Ei, eu tenho dinheiro para dar uma de mão-aberta: meu pai é príncipe!

Mais tarde, na Mesma Quinta-feira
Casa dos Pinguins, Zoológico do Central Park

Estou com tanto medo que mal consigo escrever. Além disso, pessoas continuam a esbarrar no meu cotovelo, e aqui é escuro, mas tanto faz. Tenho que escrever exatamente o que aconteceu. Senão, quando acordar amanhã, posso pensar que foi apenas um pesadelo.

Mas não foi um pesadelo. Foi REAL.

Não vou contar a ninguém, nem mesmo a Lilly. Lilly NÃO compreenderia. NINGUÉM entenderia. Porque ninguém que conheço jamais esteve antes nesta situação. Ninguém foi dormir uma noite como uma pessoa e acordou na manhã seguinte descobrindo que era alguém inteiramente diferente.

Quando voltei para nossa mesa, depois dos soluços no banheiro das mulheres no Plaza, notei que os turistas alemães haviam sido substituídos por japoneses. O que era um avanço. Os japoneses são muito mais tranquilos. Quando sentei, papai falava ao celular. Com minha mãe, descobri logo. Ele tinha aquela expressão que só usa quando fala com ela. E dizia: "Sim, contei a ela. Não, ela não parece nervosa." Olhou para mim: "Você está perturbada?"

Eu disse: "Não", porque não estava... não naquele MOMENTO.

Ele continuou ao telefone: "Ela disse que não." Escutou por um minuto e em seguida voltou a me olhar. "Você quer que sua mãe venha aqui para ajudar a explicar as coisas?"

Sacudi a cabeça. "Não. Ela tem que terminar aquela peça de vários estilos para a Kelly Tate Gallery. A galeria quer a peça na próxima semana."

Papai repetiu essas palavras para minha mãe. Ouvi ela resmungar alguma coisa em resposta. Ela sempre resmunga quando lembro a ela que tem que entregar quadros em uma certa data. Mamãe gosta de trabalhar quando as musas dão uma ajudinha. Uma vez que papai paga a maioria de nossas contas, isso geralmente não é problema, mas também não é uma maneira muito responsável de um adulto se comportar, mesmo que seja uma pintora. Juro que, se um dia for apresentada às musas de minha mãe, dou uns chutes tão rápidos nas togas delas que elas nem saberão quem foi que bateu nelas.

Finalmente, papai desligou e me olhou. "Está melhor?", perguntou.

De modo que, afinal de contas, acho que ele notou os soluços. "Estou", respondi.

"Você está entendendo realmente o que estou lhe dizendo, Mia?"

Inclinei a cabeça: "Você é o príncipe de Genovia."

"Sim, sou...", disse ele, como se houvesse mais.

Eu não sabia mais o que dizer. Então tentei: "Grandpère era o príncipe de Genovia antes de você?"

"Era", disse ele.

"De modo que Grandmère é... o quê?"

"A princesa-viúva."

Eu me encolhi toda. Uau. Isso explicava um bocado de coisas sobre Grandmère.

Papai poderia dizer nesse momento que eu estava desnorteada. Ele continuava a me olhar, parecendo muito esperançoso. Finalmente, depois de tentar apenas sorrir inocentemente para ele durante um tempo, e não conseguindo, me afundei na cadeira e perguntei: "OK. E daí?"

Ele pareceu desapontado. "Mia, será que você não sabe?"

Eu estava com a cabeça em cima da mesa. Ninguém espera que alguém faça isso no Plaza, mas eu também não havia notado que Ivana Trump estava olhando em nossa direção. "Não...", disse. "Acho que não. Saber o quê?"

"Você não é mais Mia Thermopolis, querida", disse ele. Por ser filha natural e minha mãe não acreditar no que chama de culto do patriarcado, ela me botou o nome de solteira dela, em vez do nome de papai.

Levantei a cabeça da mesa ao ouvir essas palavras. "Não sou?", perguntei, piscando algumas vezes. "Neste caso, quem sou eu?"

E ele continuou a falar, bondosa e tristemente: "Você é Amelia Mignonette Grimaldi Thermopolis Renaldo, Princesa de Genovia."

OK.

O QUÊ? PRINCESA? EU???

É isso aí. Certo.

É assim que NÃO sou princesa. Tanto NÃO sou que, quando meu pai começou a me dizer que eu era, comecei a chorar desesperadamente. Vi meu reflexo no grande espelho dourado, do outro lado do salão, e eu tinha o rosto todo inchado, como acontece na Educação Física quando a gente joga queimado e leva uma bolada na cara. Olhei para meu rosto naquele espelho enorme, vi o que era e perguntei a mim mesma: Isso é cara de princesa?

Você devia ter visto com que eu parecia. Nunca veria uma pessoa que parecesse MENOS princesa do que eu. Quero dizer, meu cabelo é muito ruim, nem liso nem ondulado. É meio triangular, de modo que tenho que cortá-lo bem curto ou pareço um espantalho. E nem é louro nem escuro, fica no meio-termo, o tipo de cor que chamam de cor de rato, ou louro-água-suja. Atraente, ahn? E tenho um bocão e tanto, nenhum peito e pés que parecem esquis. Lilly diz que meu único aspecto atraente está nos olhos, que são cinzentos, mas naquele exato momento estavam apertados e vermelhos porque eu fazia força para não chorar.

O que quero dizer é que princesas não choram, certo?

Nesse momento, papai estendeu o braço e começou a alisar minha mão. OK, eu amo papai, mas ele simplesmente não tinha ideia do que fazer. Continuava a dizer que sentia muito. Eu não podia responder porque tinha medo de que, se falasse, ia chorar ainda mais. Ele continuou, dizendo que a situação não era tão ruim assim, que eu gostaria de morar no palácio em Genovia com ele, e que eu poderia voltar quando quisesse para visitar meus amiguinhos.

Foi aí que não entendi mais nada.

Eu não só era uma princesa, mas teria que me MUDAR???

Parei de chorar quase imediatamente. Porque nesse momento fiquei realmente com raiva. Realmente furiosa. Eu não fico zangada com frequência, porque tenho medo de briga e tudo mais, mas quando viro bicho é melhor sair da frente.

"Eu NÃO vou me mudar para Genovia", disse, em voz bem alta. Sei que era alta porque todos os turistas japoneses se viraram e olharam para mim e, em seguida, começaram a conversar baixinho entre si.

Papai pareceu meio chocado. A última vez que gritei com ele foi há anos, quando ele concordou com Grandmère que eu devia comer um pouco de foie gras. Não dou a mínima se isso é comida fina na França. Eu não vou comer coisa nenhuma que andava e grasnava.

"Mas, Mia", disse papai naquele tom de voz vamos-ser-sensatos, "eu pensei que você havia compreendido..."

"Tudo que eu compreendi", respondi, "foi que você mentiu pra mim durante toda a vida. Por que eu deveria ir morar com você?"

Entendi logo que esta era a coisa inteiramente errada pra se dizer, e lamento não ter pedido desculpa. Levantei bem rápido, joguei a cadeira dourada para trás e saí correndo dali quase derrubando o porteiro metido a besta.

Acho que papai tentou me seguir, mas eu corro bem rápido quando quero. O sr. Wheeton vive tentando me convencer a entrar na equipe de atletismo da escola, mas isso até parece piada, porque odeio correr sem motivo. Uma letra numa camiseta idiota não é motivo para correr, pelo menos para mim.

De qualquer modo, saí correndo para a rua, passei por aquelas estúpidas charretes usadas por turistas, passei pela grande fonte com as estátuas douradas dentro, passei por todo o tráfego na porta da F.A.O. Schwarz e entrei no Central Park, que estava ficando meio escuro, frio, fantasmagórico e coisas assim, mas não me importei. Ninguém ia me atacar, porque eu era uma menina de 1,80 de altura, correndo com botas de combate e uma grande mochila nas costas com adesivos como APOIE O GREENPEACE e EU BRIGO PELOS ANIMAIS. Ninguém se mete com uma moça usando botas de combate, principalmente quando ela também é vegetariana.

Depois de algum tempo, cansei de correr e tentei pensar aonde poderia ir, uma vez que não estava ainda na hora de voltar para casa. Eu sabia que não podia ir para a casa de Lilly. Ela é inteiramente contra toda forma de governo que não seja do povo, exercido diretamente ou através de representantes eleitos. Ela sempre diz que, quando a soberania é investida em uma única pessoa, cujo direito de governar é hereditário, perdem-se irrevogavelmente os princípios de igualdade social e respeito pelo indivíduo na comunidade. É esse o motivo por que o poder autêntico passou de monarcas reinantes para assembleias constitucionais, tornando figuras da realeza, como a Rainha Elizabeth, meros símbolos da unidade nacional.

Pelo menos foi isso o que ela disse um dia destes na prova oral de Civilizações Mundiais.

E eu acho que concordo um pouco com Lilly, especialmente sobre o Príncipe Charles — ele tratou mesmo Diana como se ela fosse lixo —, mas meu pai não é assim. Sim, ele joga polo e tudo mais, mas nunca sonharia em sujeitar alguém à taxação sem representação.

Mesmo assim, eu tinha quase certeza de que o fato de o povo de Genovia não ter que pagar impostos não ia fazer a mínima diferença para Lilly.

Eu sabia que a primeira coisa que papai faria seria ligar para mamãe, e ela ficaria preocupada. Odeio causar preocupações à mamãe. Mesmo que ela possa ser irresponsável às vezes, isso só acontece com coisas como contas a pagar e compras no supermercado. Ela nunca é irresponsável comigo. Eu tenho amigas cujos pais, às vezes, nem se lembram de dar a elas dinheiro para o metrô. Tenho amigas que dizem aos pais que vão para o apartamento de fulaninha e que, em vez disso, saem para encher a cara e os pais nem desconfiam porque não conferem com os pais da outra.

Mamãe não gosta disso. Ela SEMPRE confere.

De modo que eu sabia que não era justo sair correndo assim e deixá-la preocupada. Eu não me importava muito com o que meu pai pensava. Nesse momento, eu estava com muito ódio dele. Mas eu simplesmente precisava ficar sozinha por algum tempo. Quero dizer, é preciso algum tempo para a gente se acostumar, para descobrir que é uma princesa. Acho que algumas meninas poderiam gostar disso, mas não eu. Eu nunca fui muito feminina, sabia? Nunca botei maquiagem, usei meia-calça e essas coisas. Quero dizer, posso fazer isso, se tiver que fazer, mas prefiro não fazer.

Prefiro mesmo não fazer.

De qualquer jeito, não sei como, mas parecia que meus pés sabiam aonde estavam indo e, quando menos esperava, cheguei ao zoológico.

Eu adoro o zoológico do Central Park. Sempre adorei, desde pequenininha. É muito melhor do que o zoológico do Bronx, porque é pequeno e aconchegante e os animais são muito mais amigáveis, especialmente as focas e os ursos polares. Adoro ursos polares. No zoológico do Central Park há aquele urso polar e tudo que ele faz durante o dia inteiro é nadar de costas. Juro! Certa vez ele apareceu nos jornais porque o psicólogo dele estava preocupado, achando que ele estava com estresse. Deve ser um saco ver gente olhando pra gente o dia inteiro. Mas compraram uns brinquedos para ele e, depois disso, tudo bem. Ele fica simplesmente em seu espaço — no zoológico do Central Park não há jaulas, apenas espaços — e olha a gente olhar para ele. Às vezes, enquanto faz isso, ele segura uma bola. Eu amo aquele urso.

Então, depois de liberar uns dois dólares para entrar — isso é a outra coisa boa no zoo, o ingresso é barato —, fiz uma visitinha ao urso polar. Ele parecia estar bem. Muito melhor do que eu no momento. Quero dizer, o pai dele não havia lhe dito que ele era o herdeiro do trono de algum lugar. Fiquei pensando de onde teria vindo aquele urso. Tomara que tivesse vindo da Islândia.

Depois de algum tempo, ficou cheio demais em frente ao espaço do urso e resolvi ir até a casa dos pinguins. Lá fede um bocado, mas é divertido. Há aquelas janelas que dão para a água, então a gente pode ver os pinguins nadando de um lado para o outro, deslizando em cima das pedras, e levando uma maravilhosa vida de pinguim. Meninos põem as mãos no vidro e quando um pinguim se aproxima nadando, eles começam a gritar. Isso me deixa totalmente maluca. Ali há um banco e é nele que estou agora, escrevendo estas palavras. A gente se acostuma com o fedor depois de algum tempo. Acho que a gente consegue se acostumar com qualquer coisa.

Oh, meu Deus, não posso acreditar que acabo de escrever isso! Eu NUNCA me acostumarei a ser a Princesa Amelia Renaldo! Nem mesmo sei quem é ela! Parece o nome de alguma linha cretina de produtos de maquiagem ou alguém de um filme da Disney que esteve perdido e que acaba de recuperar a memória, ou coisa assim.

O que é que eu vou fazer? Eu NÃO posso me mudar para Genovia, eu simplesmente NÃO POSSO!! Quem é que ia cuidar de Fat Louie? Mamãe não pode. Ela *não lembra* de comer, quanto mais de dar comida a um GATO.

Tenho certeza de que não vão deixar que eu tenha um gato no palácio. Pelo menos, não um gato como Louie, que pesa 13 quilos e come meias. Ele ia assustar todas as damas de companhia.

Oh, Deus! *O que é que eu vou fazer?*

Se Lana Weinberger descobrir alguma coisa sobre isso, estou ferrada.

Ainda Mais Tarde, na Quinta-feira

Claro, eu não poderia me esconder para sempre na casa dos pinguins. No fim, acabaram apagando as luzes e dizendo que estava na hora de fechar. Guardei o diário na mochila e saí do zoológico como todo mundo. Peguei um ônibus para o centro e voltei para casa, onde tinha certeza de que iria receber um SERMÃO de mamãe.

O que eu não contei foi com a possiblidade de o receber dos DOIS, ao mesmo tempo. Era a primeira vez que isso acontecia.

"Onde foi que você esteve, mocinha?", quis saber ela, sentada na cozinha com papai, o telefone entre eles.

Exatamente no mesmo instante, meu pai disse: "Nós estávamos loucos de preocupação."

Pensei que fosse ficar de castigo em casa pelo resto de minha vida, mas tudo que eles queriam saber era se eu estava bem. Garanti que estava e pedi desculpas por ter feito essa sujeira com eles. Eu simplesmente precisava ficar sozinha, disse.

Eu estava realmente preocupada, com medo de que acabassem comigo, mas eles nem de longe fizeram isso. Mamãe tentou me obrigar a comer um pouco de macarrão, mas eu não quis, porque tinha sido temperado com molho de carne. Meu pai, nesse momento, se ofereceu para mandar seu motorista ao Nobu comprar um prato de peixe, mas tudo que respondi foi: "Pra dizer a verdade, papai, tudo que quero é ir dormir." Depois, mamãe botou a mão na minha testa, rosto, pescoço, pensando que eu estava doente. Isso quase me fez voltar a chorar. Acho que meu pai se lembrou daquela minha expressão no Plaza porque, de repente, tudo que disse foi: "Helen, deixe-a em paz."

Para minha surpresa, mamãe fez exatamente isso. Então fui para meu quarto, fechei a porta, tomei um banho quente e demorado, vesti meu pijama preferido, o de flanela vermelha fria, encontrei Fat Louie debaixo do sofá, onde tentava se esconder de meu pai (ele não gosta muito de papai), e fui dormir.

Antes de pegar no sono, ouvi meu pai falando durante muito, muito tempo, com mamãe na cozinha. A voz dele era grossa, como de um trovão. De certa maneira, ela me lembrava a voz do capitão Picard em *Jornada nas Estrelas: a Nova Geração*.

Papai, para dizer a verdade, tem muita coisa em comum com o capitão Picard. Sabe como é, ele é careca e tem que mandar numa pequena população.

Exceto que o capitão Picard dá sempre um jeito de tudo acabar bem no fim do capítulo e eu sinceramente duvidava que alguma coisa fosse acabar bem para mim.

Sexta-feira, 3 de Outubro, Sala de Frequência

Hoje, quando acordei, os pombos que moram na escada de incêndio do lado de fora da minha janela estavam arrulhando feito uns desesperados (Fat Louie estava no peitoril da janela — bem, pelo menos o quanto dele cabia ali — vigiando eles), e o sol brilhava. Levantei na hora, acreditem ou não, e não tive que apertar sete mil vezes o botão do despertador. Tomei um banho e não me cortei quando raspei as pernas, encontrei no fundo do armário uma blusa quase sem rugas e até consegui deixar meus cabelos mais ou menos apresentáveis. Era sexta-feira. Sexta-feira é o meu dia predileto, fora de sábado e domingo. Sextas-feiras sempre significam dois dias — dois gloriosos dias de relaxamento — SEM álgebra pela frente.

Entrei na cozinha e lá estava aquela luz cor-de-rosa entrando pela claraboia, batendo bem em cima de mamãe, que estava usando seu melhor quimono e fazendo torrada francesa com ovos desidratados, em vez de ovos de verdade, mesmo que eu não seja contra ovos desde que soube que eles não são do tipo galado e, portanto, nunca poderiam vir a ser pintos.

Eu estava toda pronta para agradecer a ela por pensar em mim, quando ouvi aquele ruído baixo.

E lá estava meu PAI sentado à mesa da sala de jantar (bem, é apenas uma mesa, já que a gente não tem sala de jantar, mas enfim...), lendo o *New York Times* e usando terno.

Terno. Às sete horas da manhã.

Mas depois me lembrei. Não posso acreditar que tenha me esquecido:

Eu sou uma princesa.

Oh, meu Deus. Tudo que havia de bom em meu dia simplesmente foi embora pela janela depois disso.

Logo que me viu, meu pai ficou cheio de: "Ah, Mia."

Eu sabia que não ia escapar. Ele só diz "Ah, Mia" quando vai me passar um baita sermão.

Ele dobrou com todo cuidado o jornal e colocou-o de lado. Meu pai sempre dobra jornais com capricho, deixando todas as bordas certinhas. Minha mãe nunca faz isso. Ela geralmente amassa as páginas, deixando-as fora de ordem no sofá ou junto ao vaso sanitário. Esse tipo de coisa faz meu pai ficar doido e é provavelmente a razão por que eles nunca se casaram.

Percebi que minha mãe havia posto a mesa com nossos melhores pratos Kmart, aqueles com listras azuis, e os grandes copos de plástico em forma de cacto para tomar marguerita, comprados na Ikea. Chegou até a colocar um buquê de girassóis artificiais no centro da mesa, em um vaso amarelo. Ela havia feito tudo isso para me animar, eu sabia, e tinha provavelmente acordado bem cedo para fazer isso. Mas, ao invés de me animar, tudo isso só me deixou mais triste.

Porque aposto que não usam copos de marguerita em forma de cacto no café da manhã no palácio de Genovia.

"Nós precisamos conversar, Mia", disse meu pai. É sempre assim que começam seus piores sermões. Exceto que, desta vez, ele me olhou meio esquisito, antes de começar. "O que foi que houve com seu cabelo?"

Levei a mão à cabeça. "Por quê?" Eu achava que, para variar, meu cabelo estava legal.

"Não há nada com o cabelo dela, Phillipe", disse mamãe. Ela, geralmente, tenta cortar o barato dos sermões de papai, se pode. "Sente-se, Mia, e coma alguma coisa. Eu até esquentei o xarope para a torrada francesa, do jeito que você gosta."

Fiquei grata por essa gentileza da mamãe. Fiquei mesmo. Mas eu não ia me sentar e conversar sobre meu futuro em Genovia. Quero dizer, dá um tempo! Então disse apenas: "Oh, eu adoraria, de verdade, mas tenho que me mandar. Tenho prova hoje de Civilizações Mundiais e prometi a Lilly que a gente se encontraria para comparar as anotações..."

"Sente-se."

Cara, meu pai realmente fala, quando quer, como comandante de nave espacial da Federação.

Sentei. Mamãe empurrou umas torradas francesas pro meu prato. Derramei xarope por cima e dei uma mordida, apenas para ser educada. O gosto era de papelão.

"Mia", disse mamãe. Ela ainda estava tentando acabar com o sermão de papai. "Eu sei como você deve estar chateada com tudo isso. Mas, na verdade, a coisa não é tão ruim quanto você está pensando."

Oh, tudo bem. De repente, alguém me diz que sou uma princesa e devo ficar toda feliz com isso?

"Quero dizer", continuou mamãe, "a maioria das meninas ficaria provavelmente felicíssima ao descobrir que o pai é um príncipe!"

Nenhuma menina que eu conheço. Na verdade, isso não é verdade. Lana Weinberger, provavelmente, adoraria ser princesa. Na verdade, ela já pensa que é.

"Simplesmente pense em todas as coisas lindas que poderia ter, se fosse morar em Genovia." O rosto de mamãe iluminou-se todo, enquanto começava a fazer uma lista das coisas lindas que eu poderia ter se fosse morar em Genovia, mas a voz dela tinha um tom estranho, como se ela estivesse representando um papel de mãe na TV, ou coisa assim. "Como um carro! Você sabe como é impraticável ter carro aqui na cidade. Mas em Genovia, quando você fizer dezesseis anos, tenho certeza de que seu pai comprará..."

Eu disse que já havia problemas de sobra com a poluição na Europa, sem a minha contribuição. As emissões de diesel são uma das maiores causas da destruição da camada de ozônio.

"Mas você sempre quis um cavalinho, não quis? Em Genovia, você pode ter um. Um baio com manchas pretas na..."

Isso doeu.

"Mamãe", disse eu, com os olhos se enchendo de lágrimas. Eu simplesmente não pude evitar isso. De repente, estava chorando de novo como uma desesperada. "O que é que você está fazendo? Você quer que eu vá morar com papai? É isso? Está cansada de mim ou é alguma outra coisa? Quer que eu vá morar com papai, para que você e o sr. Gianini possam... possam..."

Não pude continuar, porque comecei a chorar de verdade. Mas mamãe estava chorando também. Saltou da cadeira, deu a volta na mesa e começou a me abraçar, dizendo: "Oh, não, amor! Como é que você pode pensar uma coisa dessas?" E parou de parecer uma mãe de TV. "Eu só quero o que é melhor para você."

"Eu também", disse papai, parecendo aborrecido. Ele havia cruzado os braços no peito e se inclinava para trás na cadeira, olhando-nos com irritação.

"O melhor para mim é ficar aqui mesmo e terminar na escola o segundo grau", disse eu a ele. "E, depois, vou entrar para o Greenpeace e ajudar a salvar as baleias."

Meu pai pareceu ainda mais irritado ao ouvir isso. "Você não vai entrar no Greenpeace", disse.

"Vou, sim", respondi. Era difícil à beça falar, porque eu estava chorando e tudo mais, mas disse a ele: "E vou também para a Islândia salvar os bebês focas."

"Não vai, de jeito nenhum." Meu pai não parecia simplesmente irritado. Nesse momento parecia furioso. "Você vai para a faculdade. Vassar, acho. Talvez a Sarah Lawrence."

Isso me fez chorar mais ainda.

Mas antes que eu pudesse dizer alguma coisa, mamãe levantou a mão e disse: "Phillipe, não. Nós não estamos conseguindo nada aqui. Mia tem de ir para a escola. Ela já está atrasada..."

Comecei logo a procurar a mochila e o casaco. "Isso mesmo", disse. "Tenho que renovar meu bilhete de metrô."

Meu pai fez aquele som francês esquisito que faz às vezes. É alguma coisa entre um resmungo e um suspiro. Parece um *Pfuit*! Depois, disse: "Lars leva você."

Eu disse a papai que isso não era necessário, porque me encontro todos os dias com Lilly no Astor Place, onde pegamos juntas o metrô da linha 6 para a Zona Norte.

"Lars pode levar sua amiguinha, também."

Olhei para mamãe, que estava olhando para o papai. Lars é o motorista de papai. Ele vai a todos os lugares aonde papai vai. Desde que conheço papai — OK, toda minha vida — ele tem um motorista, geralmente um cara fortão que trabalhava para o presidente de Israel ou alguém assim.

Pensando bem, claro que esses caras não são realmente motoristas, são seguranças.

Uau.

Ok, a última coisa que eu queria era que o segurança de papai me levasse pra escola. Como eu ia explicar isso a Lilly? *Oh, não liga para ele. Ele é apenas o motorista de papai*. Até parece. A única pessoa na Escola Albert Einstein que chega de motorista é aquela menina árabe podre de rica, chamada Tina Hakim Baba, cujo pai é dono de uma grande companhia de petróleo. E todo mundo acha engraçado porque os pais dela ficam muito preocupados, com medo que ela seja sequestrada entre a rua 75 e a Madison, onde ela mora. Ela tem até um segurança que a segue de uma sala de aula para outra e conversa num rádio com o motorista. Isso é um exagero, se quer saber o que eu acho.

Mas papai foi inflexível na questão do motorista. Como eu agora sou uma princesa oficialmente, tem que haver toda essa preocupação com meu bem-estar. Ontem, quando eu era Mia Thermopolis, não tinha problema andar de metrô. Hoje, que sou a Princesa Amelia, esqueça.

Bem, tudo bem. Não parecia valer a pena discutir isso. Quero dizer, há coisas piores com que tenho que me preocupar.

Como em que país vou morar no futuro próximo.

Quando eu estava saindo — meu pai mandou Lars subir até o sótão e me escoltar até o carro, uma coisa realmente ridícula —, ouvi ele dizer a mamãe: "Tudo bem, Helen. Quem é esse tal Gianini, sobre quem Mia estava falando?"

Ops.

$ab = a + b$

resolver a equação para achar o valor de b

$ab - b = a$

$b(a - 1) = a$

$b = \frac{a}{a - 1}$

Mais Sexta-feira, Álgebra

Lilly notou imediatamente que havia algo no ar.

Oh, ela engoliu toda a história que contei sobre Lars: "Papai está na cidade, tem motorista e, como você sabe..."

Mas não consegui contar a ela a parte da princesa. Quero dizer, tudo em que eu pensava era no tom de desgosto da voz de Lilly quando, em uma exposição oral, disse que monarcas cristãos costumavam se considerar como representantes da vontade divina e que, portanto, não eram responsáveis perante os povos que governavam, mas apenas perante Deus, embora meu pai raramente vá à igreja, exceto quando Grandmère o obriga.

Lilly acreditou no que eu disse sobre Lars, mas continuou a me perturbar sobre meu choro. E dizia coisas como: "Por que seus olhos estão tão vermelhos e apertados? Você esteve chorando. Por quê? Aconteceu alguma coisa? O que foi? Tirou outro zero em alguma matéria?"

Eu simplesmente encolhi os ombros e fingi que olhava pela janela para a vista nada inspiradora das casas abandonadas do East Village, pelas quais tínhamos que passar para chegar a FDR. "Não é nada, não", respondi. "TPM."

"Não é TPM. Você ficou menstruada na semana passada. Lembro porque você me pediu emprestado um absorvente depois da aula de Educação Física e comeu dois pacotes inteiros de Yodels no almoço." Às vezes, eu gostaria que a memória de Lilly não fosse tão boa. "Então, desembucha. Louie comeu outra meia?"

Para começar, era o maior embaraço para mim discutir meu ciclo menstrual na frente do segurança do papai. Quero dizer, Lars é um tipo de Baldwin. Estava muito concentrado em dirigir, e não sei se ele, do lugar do motorista, podia nos ouvir, mas mesmo assim era embaraçoso.

"Não é nada", murmurei. "Apenas meu pai. Você sabe."

"Oh!", disse ela em voz normal. Eu já disse que a voz normal de Lilly é realmente muito alta? "Você quer dizer, aquela coisa da esterilidade? Ele ainda está arrasado por causa disso? Deus, como ele precisa se atualizar."

Lilly continuou, falando sobre o que chama de árvore junguiana de autoatualização. Disse que meu pai está nos ramos mais baixos e que não vai conseguir chegar ao topo da coisa até que ele se aceite como é e deixe de se obcecar com a incapacidade de ter mais filhos.

Acho que isso é parte de meu problema. Eu estou na parte mais baixa da árvore de autoatualização, embaixo das raízes dela, praticamente.

Mas neste momento, aqui na aula de álgebra, as coisas não parecem assim tão ruins. Pensei nelas durante todo o tempo na sala de frequência e, finalmente, compreendi uma coisa:

Eles não podem me obrigar a ser princesa.

Não podem mesmo. Quero dizer, isto aqui é América, onde a gente tem liberdade. Aqui a gente pode ser tudo que quiser ser. Pelo menos, foi isso o que a sra. Holland disse sempre no ano passado, quando estudamos História dos Estados Unidos. Então, se posso ser tudo que quero, posso não ser princesa. Ninguém pode me obrigar a ser princesa, nem mesmo meu pai, se eu não quiser.

Certo?

Então, quando voltar para casa hoje à noite, eu direi a papai, obrigada, mas não, obrigada. Por ora, vou ser apenas a velha e feia Mia.

Meu Deus! O sr. Gianini acabou de me chamar e eu não tenho a menor ideia do que ele estava falando, porque, claro, eu estava escrevendo neste diário, em vez de prestar atenção. Minha cara parece estar pegando fogo. Lana, claro, está dando gargalhadas. Ela é muito gozadora.

Mas por que, afinal de contas, ele continua sempre a me chamar? Ele já devia saber que eu não sei a diferença entre uma equação do segundo grau e um buraco no chão. Ele está me escolhendo apenas por causa da minha mãe. Ele quer dar a impressão de que me trata do mesmo jeito que trata todo mundo na classe.

Mas eu não sou igual a todo mundo na classe.

Para que tenho que saber álgebra? Ninguém usa álgebra no Greenpeace.

E pode apostar que não vou precisar disso, se for uma princesa. Então, aconteça o que acontecer, estou garantida.

Legal.

encontre a solução de $x = a + aby$ para achar y

$x - a = aby$

$$\frac{x - a}{ab} = \frac{aby}{ab}$$

$$\frac{x - a}{ab} = y$$

Muito Tarde, Mesmo, na Sexta-feira, Quarto de Lilly Moscovitz

Ok, mandei pro espaço a aula de apoio do sr. Gianini depois do horário normal. *Reconheço* que não devia ter feito isso. Acreditem, Lilly não deixou dúvida que eu não devia ter feito isso. Sei que ele organiza essas aulas extras apenas para pessoas como eu, que estão pra levar pau. Sei que ele faz isso em seu tempo de folga e que não recebe a mais por isso. Mas, se não vou precisar de álgebra em qualquer possível futura carreira, por que preciso assistir à aula?

Perguntei a Lilly se podia passar a noite na casa dela, e ela respondeu que apenas se eu prometesse parar de me comportar como uma doida.

Prometi, mesmo não achando que esteja me comportando como uma doida.

Mas quando liguei para mamãe do telefone da portaria, depois das aulas, para perguntar se podia passar a noite na casa dos Moscovitz, o que ela disse foi: "Humm, para dizer a verdade, Mia, seu pai estava até com esperança de que, quando você voltasse para casa hoje à noite, nós poderíamos ter outra conversa."

Oh, legal!

Disse à minha mãe que, embora não houvesse coisa que eu quisesse mais do que outra conversa, estava muito preocupada com

Lilly, já que seu maníaco fã tinha acabado de ter alta do Hospital Bellevue. Desde que Lilly iniciou seu programa de TV a cabo, esse cara, chamado Norman, vinha lhe telefonando, pedindo que ela tirasse os sapatos. De acordo com os drs. Moscovitz, Norman é um fetichista. A fixação dele é em pés — em particular, nos pés de Lilly. Ele envia coisas para ela, através da organização do programa, CDs, animais empalhados e coisas assim, e escreve que mandará mais coisas se Lilly simplesmente tirar os sapatos no ar. Então, o que Lilly faz é tirar os sapatos, isso mesmo, mas em seguida coloca um cobertor sobre as pernas, mexe os pés por baixo e diz: "Olhe, Norman, seu anormal! Tirei os sapatos! Obrigado pelos CDs, seu bobalhão!"

Isso irritou tanto Norman que ele passou a perambular pelo Village, à procura de Lilly. Todo mundo sabe que ela mora no Village, desde que filmamos um episódio muito popular, no qual ela tomou emprestada uma pistola de marcação de preço da Grand Union e disse a todos os turistas europeus que circulavam pelo NoHo que, se usassem uma etiqueta de preço da Grand Union na testa, poderiam ganhar um café expresso de graça da Dean & DeLuca (um número surpreendente deles acreditou).

De qualquer modo, certo dia, há algumas semanas, Norman, o fetichista de pé, nos encontrou no parque e começou a nos perseguir, agitando notas de vinte dólares na mão e tentando nos convencer a tirar os sapatos. A coisa foi muito engraçada e nem deu para assustar, especialmente porque demos de cara com o posto de polícia, na esquina da Washington Square com a Thompson Street, onde a 6ª Delegacia para aquele enorme *trailer*, para poder espionar os traficantes de drogas. A gente disse à polícia que aquele anormal estava querendo nos estuprar. Vocês deviam ter visto. Uns vinte agentes disfarçados (até um cara que eu pensava que fosse um velho morador de rua dormindo num banco) saltaram sobre Norman e o arrastaram, aos gritos, para o hospício!

Eu sempre me divirto tanto com Lilly.

Então, os pais de Lilly lhe disseram que Norman havia acabado de ter alta do Bellevue e que, se o encontrasse, não devia atormentá-lo, porque ele é apenas um pobre obsessivo-compulsivo com possíveis tendências esquizofrênicas.

Lilly vai dedicar o espetáculo de amanhã a seus pés. Vai calçar todos os pares de sapatos que tem, mas não vai mostrar os pés descalços uma única vez. Ela tem esperança de que isso faça Norman perder o controle e fazer alguma coisa mais louca do que nunca, tal como pegar uma pistola e atirar na gente.

Mas eu não estou com medo. Norman usa óculos com lentes de fundo de garrafa e aposto que ele não consegue acertar em coisa nenhuma, nem com uma metralhadora, que mesmo um lunático como Norman pode comprar neste país, graças às nossas leis. Elas não fazem restrição à venda de armas, o que Michael Moscovitz diz em seu e-zine que acabará na morte da democracia como a conhecemos.

Mas mamãe não ficou muito convencida com minha história e disse: "Mia, entendo o fato de você querer ajudar sua amiga neste período difícil dela com o cara que a persegue, mas acho, realmente, que você tem responsabilidades mais urgentes aqui em casa."

E tudo que eu disse foi: "Que responsabilidades?", achando que ela estava pensando na lata de lixo, que eu tinha esvaziado dois dias antes.

E ela disse: "Responsabilidades com seu pai e comigo."

Eu não entendi nada. Responsabilidades? *Responsabilidades. Ela* está *me* falando em responsabilidades? Qual foi a última vez que *ela* se lembrou de deixar as roupas na lavanderia, ainda mais de ir buscá-las? Qual foi a última vez que *ela* se lembrou de comprar Q-Tips, papel higiênico ou leite?

E ela pensou em dizer, em algum dos meus 14 anos, que eu poderia acabar me tornando, algum dia, a princesa de Genovia?

E *ela* pensa que precisa me falar sobre *minhas* responsabilidades?

Ha, ha!!!!!

Eu quase bati o telefone na cara dela. Mas Lilly andava meio por perto, treinando seus deveres de administradora, ligando e desligando as luzes da portaria da escola. Já que eu havia prometido não me comportar como uma doida, e descontar minha frustração em cima de minha mãe era definitivamente coisa de doido, disse em um tom de voz que era um modelo de paciência: "Não se preocupe, mamãe, não vou esquecer de parar na Genovese na volta pra casa amanhã e comprar uns novos sacos para o aspirador."

E, *depois*, desliguei.

DEVER DE CASA

Problemas de álgebra 1-12, pág. 119

Inglês: projeto

Civilizações Mundiais: questões no fim do Capítulo 4

S & T: nenhum

Francês: usar *avoir* em frase negativa, ler as lições um a três, *pas de plus*

Biologia: nenhum

Sábado, 4 de Outubro, Cedo, Ainda na Casa de Lilly

Por que eu me divirto tanto quanto passo a noite na casa de Lilly? Quero dizer, não é que eles tenham coisas que eu não tenho. Na verdade, mamãe e eu temos coisas melhores. Os Moscovitz só têm uns dois canais de filmes e, porque aproveitei a última oferta do Time Warner Cable, nós temos todos eles, Cinemax, HBO e Showtime, pela tarifa mais baixa, de US$ 19,99 ao mês.

Além disso, temos gente melhor para espiar pelas janelas, como Ronnie, que já foi Ronald e agora é chamado de Ronette, e que dá um monte de festas de arromba; e aquele casal alemão magrelo que usa roupa preta o tempo todo, mesmo no verão, e nunca baixa as cortinas. Na Quinta Avenida, onde os Moscovitz moram, não há ninguém bacana para a gente olhar: apenas outros psicanalistas ricos e seus filhos. Pode acreditar em mim, a gente não vê nada que preste pelas janelas *deles*.

Mas acontece sempre, toda vez que passo a noite aqui, mesmo que tudo que a gente faça seja ficar na cozinha comendo o macarrão que sobrou do Rosh Hashanah, que eu me divirto pra caramba. Talvez isso aconteça porque Maya, a empregada dominicana dos Moscovitz, nunca se esquece de comprar suco de laranja e sempre se lembra de que eu não gosto do tipo cheio de bagaço. E, se ela sabe que vou passar a noite lá, compra uma lasanha vegetariana no

Balducci, em vez da de carne, especialmente para mim, como fez na noite passada.

Ou talvez seja porque nunca vejo potes velhos de alguma coisa, cheios de mofo, na geladeira dos Moscovitz. Maya joga fora tudo que passou um dia do prazo de validade. Mesmo creme de cebola ainda fechado. Até latinhas de Tab.

E os drs. Moscovitz nunca se esquecem de pagar a conta de luz. A Con Ed nunca desligou a luz deles no meio de uma maratona de exibição de *Jornada nas Estrelas*. E a mãe de Lilly, ela sempre fala sobre coisas normais, como o grande desconto que conseguiu numa meia-calça Calvin Klein na Bergdorf's.

Não que eu não ame minha mãe ou coisa parecida. Amo com paixão. Eu só queria que ela fosse mais mãe e menos pintora.

E gostaria que meu pai fosse mais parecido com o pai de Lilly, que sempre quer preparar uma omelete para mim, porque pensa que estou muito magra e que anda pela casa com a velha calça de moletom da faculdade quando não tem que ir para o consultório analisar alguém.

O dr. Moscovitz *nunca* usaria terno às sete da manhã.

Não que eu não ame meu pai. Amo, eu acho. Eu simplesmente não entendo como ele deixou que uma coisa dessas acontecesse. Ele é normalmente tão organizado. *Como é que ele aceitou se tornar príncipe?*

Eu simplesmente não entendo isso.

A melhor coisa de ir dormir na casa de Lilly, acho, é que enquanto estou lá não tenho que pensar em coisas como estar levando pau em álgebra ou ser herdeira do trono de um miniprincipado europeu. Eu apenas relaxo, como autênticos Poppin Fresh Cinnamon Buns feitos em casa e observo Pavlov, o pastor de Shetland de Michael, tentar levar Maya de volta para a cozinha toda vez que ela quer sair.

Ontem à noite foi uma diversão só. Os drs. Moscovitz saíram — tiveram que ir a uma festa de caridade no Puck Building para filhos homossexuais de sobreviventes do Holocausto —, então Lilly e eu fizemos um panelão de pipoca com manteiga, subimos para a cama com dossel dos pais dela e vimos todos os filmes de James Bond de uma vez. Pudemos conferir, de uma vez por todas, se Pierce Brosnan era o James Bond mais magro, Sean Connery o mais cabeludo, e Roger Moore o mais moreno. Nenhum dos James Bonds abriu a camisa o suficiente para a gente decidir quem tinha o peito mais bonito, mas acho que provavelmente era o Timothy Dalton.

Gosto de peito cabeludo. Eu acho.

Foi meio irônico o irmão de Lilly ter entrado enquanto eu estava tentando chegar a uma conclusão sobre o assunto. Mas ele estava de camiseta. E parecia meio chateado. Disse que meu pai queria falar comigo no telefone. Meu pai estava uma fera porque vinha tentando falar comigo há horas e Michael estava na Internet, respondendo a e-mails de fãs do seu e-zine, *Crackhead*, de modo que meu pai só ouvia o sinal de ocupado.

Eu devo ter dado a impressão de que ia vomitar ou coisa assim porque, logo depois, Michael disse: "OK, não se preocupe com isso, Thermopolis. Eu digo a ele que você e Lilly já foram dormir." O que era uma mentira em que minha mãe nunca acreditaria, mas que deve ter funcionado muito bem com papai, porque Michael voltou e disse que ele pediu desculpas por ligar tão tarde (eram apenas 11h) e que falaria comigo pela manhã.

Legal. Mal posso esperar.

Acho que ainda parecia que eu ia vomitar porque Michael chamou o cachorro e mandou que ele subisse na cama com a gente, embora animais de estimação não sejam permitidos no quarto dos drs. Moscovitz. Pavlov se arrastou para meu colo e começou a me lamber o rosto, o que só faz com pessoas em quem ele realmente confia. Em seguida, Michael sentou-se para assistir aos filmes com a gente e, no interesse da ciência, Lilly perguntou quais Bond girls ele achava mais atraentes, as louras que sempre precisavam que James Bond as salvasse ou as morenas que sempre apontavam armas para ele, e Michael respondeu que não resistiria a uma garota com uma arma, o que nos levou a assistir aos seus dois programas favoritos de TV, *Xena: a Princesa Guerreira* e *Buffy, a Caça-Vampiros*.

Então, não realmente no interesse da ciência, mas principalmente por pura curiosidade, perguntei a Michael, se fosse o fim do mundo e a gente tivesse que repovoar o planeta, e ele só pudesse escolher uma companheira para toda a vida, quem seria, Xena ou Buffy?

Depois de me dizer que eu era esquisita por pensar em uma coisa dessas, Michael escolheu Buffy. Depois Lilly perguntou, se eu tivesse que escolher entre Harrison Ford e George Clooney, quem eu escolheria. Eu disse Harrison Ford, mesmo sendo velho demais, mas o Harrison Ford de *Indiana Jones*, não o de *Guerra nas Estrelas.* Lilly disse que escolheria Harrison Ford como Jack Ryan naqueles filmes de Tom Clancy, e então Michael disse, "Quem é que vocês escolheriam, Harrison Ford ou Leonardo di Caprio?", e nós duas escolhemos

Harrison Ford porque Leonardo é tão *passé*, e ele continuou: "Quem vocês escolheriam, Harrison Ford ou Josh Richter?", e Lilly disse que Harrison Ford, porque ele foi carpinteiro e, se fosse o fim do mundo, ele poderia construir uma casa de madeira para ela, mas eu disse Josh Richter, porque ele iria viver mais — Harrison parece que tem SESSENTA anos — e poderia me dar um bocado de filhos.

E foi aí que Michael começou a dizer aquelas coisas inteiramente injustas contra Josh Richter, tipo que diante de uma catástrofe nuclear provavelmente amarelaria, mas Lilly disse que medo de coisas novas não é uma medida exata do potencial de crescimento do cara, com o que eu concordei. Mas Michael continuou e disse que nós éramos duas idiotas, se pensávamos que Josh Richter sequer informaria as horas para nós, que ele só gostava de garotas oferecidas como Lana Weinberg. Lilly respondeu que se ofereceria a Josh Richter se ele atendesse a certas exigências, como tomar um banho com solução antibacteriana antes e usar três camisinhas cheias de espermicida durante a transa, para o caso de uma furar e outra escapar.

E depois Michael me perguntou se eu me ofereceria a Josh Richter e eu tive que pensar durante um minuto. Perder a virgindade é realmente uma coisa importante e a gente tem que fazer isso com a pessoa certa ou corre o risco de ficar traumatizada pelo resto da vida, como as mulheres do grupo Mais-de-Quarenta-e-Ainda-Solteira do dr. Moscovitz, que se reúne quinzenalmente às terças-feiras. Então, depois de pensar, eu disse que me ofereceria a Josh Richter, mas apenas se:

1. A gente estivesse namorando há pelo menos um ano.
2. Ele me prometesse amor eterno.
3. Ele me levasse para ver *A Bela e a Fera* na Broadway e não ridicularizasse a peça.

Michael disse que as duas primeiras condições pareciam certas, mas se a terceira era um exemplo do tipo de namorado que eu esperava arranjar, eu ia continuar virgem durante muito, muito tempo. Ele disse que não conhecia ninguém com um grama de testosterona que possa assistir a *A Bela e a Fera* sem vomitar nos outros. Mas ele está errado, porque meu pai definitivamente tem testosterona — pelo menos um testículo cheio — e nunca vomitou em cima de ninguém no espetáculo.

Depois, Lilly perguntou a Michael quem ele escolheria, se tivesse que fazer isso, eu ou Lana Weinberger, e ele disse, "Mia, claro", mas tenho certeza de que ele disse isso só porque eu estava no quarto e não queria mostrar desprezo ali na minha cara.

Eu gostaria que Lilly não fizesse coisas desse tipo.

Mas ela continuou, querendo saber quem Michael escolheria, eu ou Madonna, eu ou Buffy, a Caça-Vampiros (ele me escolheu contra Madonna, mas Buffy ganhou de mim fácil, fácil).

Em seguida, Lilly quis saber quem eu escolheria, Michael ou Josh Richter. Fingi que pensava seriamente no caso, quando, para meu alívio, os drs. Moscovitz voltaram para casa e começaram a gritar com a gente por deixar Pavlov entrar no quarto e por comer pipoca na cama.

Mais tarde, depois de Lilly e eu termos limpado toda a pipoca espalhada e voltado para o quarto dela, ela me perguntou outra vez quem eu escolheria, Josh Richter ou o irmão dela, e eu tive que dizer Josh Richter, porque ele é o cara mais quente de toda a escola, talvez de todo o mundo, e eu estou completa e perdidamente apaixonada por ele, e não apenas por causa do jeito como os cabelos louros dele caem às vezes por cima dos seus olhos, quando ele se curva, procurando alguma coisa no armário, mas porque eu sei que, por trás daquela pose de machão, há uma pessoa profundamente sensível e carinhosa. Eu percebera isso pela maneira como ele disse oi para mim naquele dia no Bigelows.

Mas não pude deixar de pensar que, se se tratasse *mesmo* do fim do mundo, talvez fosse melhor acabar com Michael, embora ele não seja tão quente, porque ele, pelo menos, me faz rir. Acho que, no fim do mundo, senso de humor seria importante.

Além do mais, claro, Michael parece realmente atraente sem camisa.

E, se fosse realmente o fim do mundo, Lilly estaria morta, e ela nunca saberia que o irmão dela e eu estávamos procriando!

Não quero *nunca* que Lilly saiba o que eu sinto sobre o irmão dela. Ela acharia muito esquisito.

Mais esquisito do que eu me tornar a princesa de Genovia.

Mais Tarde, no Sábado

Durante todo o caminho de volta da casa de Lilly, eu me preocupei com o que mamãe e papai iam me dizer quando eu chegasse. Eu nunca havia desobedecido antes. Quero dizer, nunca mesmo.

Bem, tudo bem, houve aquela vez em que Lilly, Shameeka, Ling Su e eu fomos assistir àquele filme do Christian Slater, mas, em vez disso, acabamos indo assistir a *The Rocky Horror Picture Show*, e eu esqueci de telefonar antes do filme, que terminou depois de 2:30h da manhã, e a gente estava na Times Square sem dinheiro suficiente para pegar um táxi.

Mas foi só aquela vez! E aprendi uma lição de verdade com aquilo, sem que minha mãe me botasse de castigo ou coisa assim. Não que ela fizesse uma coisa dessas — me botar de castigo em casa, quero dizer. Quem é que iria ao caixa automático pegar dinheiro para o entregador, se eu estivesse de castigo?

Mas meu pai é uma outra história. Ele é totalmente rígido no item disciplina. Mamãe diz que isso acontece porque Grandmère costumava castigá-lo quando ele era menino, trancando-o naquele quarto realmente assustador da casa dela.

Agora que estou pensando nisso, a casa em que papai cresceu era provavelmente o castelo, e aquele quarto assustador era provavelmente o calabouço.

Meu Deus, não é de espantar que papai faça tudo que Grandmère manda.

De qualquer jeito, quando papai fica irritado, ele fica realmente irritado. Como daquela vez que eu não quis ir à igreja com Grand-mère, porque me recusava a rezar para um deus que permitia que florestas tropicais fossem destruídas para dar lugar a vacas, que depois se transformariam em Quarteirões para as massas ignorantes que adoram aquele símbolo de tudo o que é mau, o Ronald McDonald. Não só papai me disse que, se eu não fosse à igreja, ele esfolaria minha bunda de tanto bater, mas também que não me deixaria ler novamente o e-zine de Michael, o *Crackhead*! E me proibiu de entrar na Web durante o resto do verão. E ainda quebrou meu modem com um magnum do Chateauneuf du Pape.

Isso é que é um cara reacionário!

Por isso estava muito preocupada com o que ele ia dizer, quando voltei da casa de Lilly.

Tentei ficar na casa dos Moscovitz o máximo de tempo possível. Botei os pratos do café da manhã na lavadora para Maya, já que ela estava ocupada escrevendo uma carta para seu representante no Congresso, pedindo que ele, por favor, fizesse alguma coisa sobre seu filho, Manuel, que fora injustamente metido na cadeia por dez anos por ter apoiado uma revolução em seu país. Levei Pavlov para fazer xixi, porque Michael tinha que ir a uma palestra sobre astrofísica na Universidade de Columbia. E até desentupi a banheira de hidromassagem dos Moscovitz. Pô, o pai de Lilly mija à beça.

Depois, Lilly tinha que sair e disse que era hora de gravar o episódio especial de uma hora do seu programa, aquele dedicado aos pés. Acontece que os drs. Moscovitz não tinham saído, como a gente pensou, para as sessões de rolfing. Ouviram tudo que a gente disse e me mandaram voltar para casa, enquanto eles analisavam Lilly sobre sua necessidade de perturbar seu fã maníaco por sexo.

A coisa é a seguinte:

Eu sou em geral uma filha muito legal. Estou falando sério. Não fumo. Não tomo drogas. Não tive filhos na rua. Sou digna de toda confiança e faço meus deveres de casa na maioria das vezes. Exceto por aquele maldito zero em uma matéria que nunca será de qualquer utilidade para mim em minha vida futura, estou indo muito bem.

E depois eles me pegaram de surpresa com essa coisa de princesa.

Resolvi que, se papai resolvesse me castigar, eu ia me queixar à juíza Judy. Ele ia se arrepender muito se, por causa disso, acabasse na frente da juíza Judy. Ela ia ensinar uma lição e tanto a ele, com certeza. Uma pessoa tentando obrigar outra a ser princesa quando ela não quer? A juíza Judy não admitiria isso, nem de longe.

Claro, quando cheguei em casa, descobri que não precisava me queixar à juíza Judy.

Mamãe não tinha ido para o estúdio, o que faz sem falta todos os sábados. Estava ali, esperando por mim, lendo velhos números da assinatura que fez para mim da revista *Seventeen*, antes de perceber que eu não tinha peito para que alguém me convidasse para sair, de modo que toda informação contida na revista era inútil para mim.

Mas ali estava também meu pai, sentado exatamente no mesmo lugar em que o havia deixado no dia anterior, só que desta vez lendo o *Sunday Times*, mesmo sendo sábado, e mamãe e eu temos a regra de não começar as seções de domingo do jornal antes do domingo. Para minha surpresa, ele não usava terno. Nesse dia usava suéter —

caxemira, um presente, sem dúvida, de uma de suas muitas namoradas — e calça de veludo.

Quando entrei, ele dobrou o jornal com todo cuidado, colocou-o sobre a mesa e me deu uma longa e atenta olhada, como faz o capitão Picard imediatamente antes de passar um sermão em Ryker sobre a Diretriz Número Um. Em seguida, ele disse: "Nós precisamos conversar."

Imediatamente comecei a explicar que não era como se não tivesse contado a eles onde estava, que eu apenas precisava de um tempo só para mim, para pensar em algumas coisas, que eu havia tido todo cuidado, não havia pegado o metrô ou coisa assim, e meu pai simplesmente disse: "Eu sei."

Simples assim. "*Eu sei*." Ele se entregou inteiramente, sem briga.

Meu pai.

Olhei para mamãe, para ver se ela havia notado que ele tinha ficado doido. E então foi ela que fez a coisa mais doida de todas. Botou as revistas em cima da mesa, veio pro meu lado e me abraçou, dizendo: "Nós sentimos tanto, querida."

Alô? Esses aí são os meus *pais*? Será que os ladrões de corpos andaram por aqui enquanto eu estava longe e substituíram meus pais por caras criados em casulos? Porque essa era a única explicação para meus pais serem tão razoáveis.

Mas aí meu pai continuou: "Nós compreendemos o estresse que esta situação lhe causou, Mia, e queremos que saiba que faremos tudo que pudermos para tornar essa transição tão suave quanto possível."

Depois ele me perguntou se eu sabia o que era uma solução conciliatória, eu disse que sabia, claro, não sou mais uma aluna do primário, então ele tirou um pedaço de papel do bolso, e nele a gente escreveu o que mamãe chama de Solução Conciliatória Thermopolis-Renaldo. E o que o papel diz é o seguinte:

Eu, o signatário, Artur Christoff Phillipe Gerard Grimaldi Renaldo, concordo que minha única e exclusiva descendente e herdeira, Amelia Mignonette Grimaldi Thermopolis Renaldo, pode concluir seus estudos na Escola Albert Einstein para Meninos (tornada mista em 1975) sem interrupção, salvo pelos períodos do Natal e verão, que ela passará, sem queixas, no país chamado Genovia.

Perguntei se isso significava que não haveria mais verões em Miragnac e ele disse que sim. Eu não pude acreditar. Natal e verão sem Grandmère? Isso seria o mesmo que ir ao dentista, só que, em vez de ter o dente obturado, a gente simplesmente leria *Teen People* e cheiraria um bocado de gás hilariante! Fiquei tão feliz que abracei ele na hora. Mas, infelizmente, descobri que havia mais no acordo:

Eu, a signatária, Amelia Mignonette Grimaldi Thermopolis Renaldo, concordo em desempenhar os deveres de herdeira de Artur Christoff Phillipe Gerard Grimaldi Renaldo, príncipe de Genovia, e tudo que esse papel exige, incluindo, mas não somente, assumir o trono com a morte do acima mencionado e cumprir as funções de Estado para as quais a presença da mencionada herdeira seja considerada essencial.

Tudo aquilo me pareceu bem bacana, exceto a parte final. Funções de Estado? Quais?

Nesse momento, meu pai tornou-se vago: "Oh, você sabe, comparecer a funerais de líderes mundiais, dar início a bailes, esse tipo de coisa."

Hein? Funerais? Bailes? O que foi que aconteceu com aquilo de quebrar garrafas de champanhe no casco de transatlânticos, comparecer a pré-estreias em Hollywood e esse tipo de coisa?

"Bem", explicou papai, "as pré-estreias de Hollywood não são realmente aquilo que dizem ser. Flashes de fotógrafos estourando na cara da gente, coisas do gênero. Totalmente desagradável."

Tudo bem, mas, os *enterros*? Os *bailes*? Eu nem sei como passar um delineador de lábios, quanto mais fazer reverência...

"Oh, tudo bem aí", tranquilizou-me papai, colocando a tampa da caneta no lugar. "Grandmère cuidará dessa parte."

Sim, certo. O que é que ela pode fazer? Ela está na França.

Ha! Ha! Ha!

Noite de Sábado

Eu não posso nem acreditar que sou tão azarada. Quero dizer, sábado à noite sozinha com meu PAI.

Ele, para dizer a verdade, tentou me convencer a ir assistir a *A Bela e a Fera*, como se sentisse pena de mim porque eu não tinha um namorado para sair comigo.

Eu, no fim, tive que dizer "Presta atenção, papai, eu não sou mais criança. Nem mesmo um príncipe de Genovia pode conseguir ingresso para um espetáculo na Broadway, num sábado à noite, com um minuto de antecedência."

Ele se sentia abandonado porque mamãe tinha saído para outro encontro com o sr. Gianini. Ela queria mesmo desfazer o encontro, por causa da confusão que havia acontecido em minha vida nas últimas 24 horas, mas praticamente a obriguei a ir, porque vi que os lábios dela estavam ficando cada vez menores quanto mais tempo ela passava com papai. Os lábios de mamãe só ficam pequenos quando ela faz força para não dizer alguma coisa, e acho que o que ela queria dizer a meu pai era: "*Caia fora! Volte para seu hotel! Você está pagando 600 dólares a noite por aquela suíte! Você não pode voltar para lá e ficar lá?*"

Meu pai deixa mamãe completamente louca, porque anda sempre fuçando por toda parte, tirando o extrato bancário dela da tigela de salada onde ela joga toda nossa correspondência, e tentando dizer quanto ela economizaria em pagamento de juros se simplesmente transferisse o dinheiro da conta corrente para uma Roth IRA.

De modo que, mesmo que ela estivesse com vontade de ficar em casa, eu sabia que, se ficasse, explodiria, então disse, por favor, vá, e que papai e eu conversaríamos sobre o que é governar um pequeno principado no cenário econômico de hoje. Mas quando mamãe apareceu em sua roupa de namoro, que incluía aquele minivestido todo preto, provocante, da Victoria's Street (mamãe odeia fazer compras, então compra todas as suas roupas em catálogos, enquanto relaxa na banheira depois de um dia inteiro pintando), papai se engasgou com um cubo de gelo. Acho que ele nunca tinha visto mamãe num minivestido — na faculdade, quando os dois namoravam, tudo que ela usava era macacão, como eu — porque ele bebeu o uísque com soda muito rápido e disse: "É *isso* que você vai usar?", o que fez mamãe responder "O que é que há de errado no vestido?" e se olhar preocupada no espelho.

Ela parecia muito, muito bem. Para dizer a verdade, parecia muito melhor do que o normal, e acho que esse era o problema. Quero dizer, pode parecer esquisito reconhecer isso, mas mamãe pode ficar deslumbrante quando quer. Eu mesma só posso desejar ser um dia tão bonita quanto ela. Quero dizer, ela não tem cabelo como o meu, tem peito, e não usa sapato 40. Ela é bem sexy, pelo menos na categoria das mães.

Nesse momento, a campainha tocou e mamãe saiu correndo, porque não queria que o sr. Gianini subisse e encontrasse seu ex, o príncipe de Genovia. O que era compreensível, porque ele continuava engasgado e parecendo meio esquisito. Quero dizer, ele parecia um homem careca, de rosto vermelho, usando suéter, cuspindo um pulmão para fora. Quero dizer, eu me sentiria embaraçada, se fosse ela e tivesse que admitir que já havia feito sexo com ele.

De qualquer jeito, foi bom que ela não mandasse o sr. Gianini subir, porque eu não queria que ele me perguntasse na frente de meus pais por que eu havia matado a aula de apoio na sexta-feira.

Então, depois de eles irem embora, tentei demonstrar a meu pai, pedindo comida realmente excelente, que estou mais preparada para a vida em Manhattan do que em Genovia. Chegou uma insalata caprese, um ravióli ao funghetto e uma pizza margherita, tudo isso por menos de vinte dólares, mas juro que papai não ficou nem um pouco impressionado! Ele apenas se serviu uísque com soda e ligou a TV. Nem notou quando Fat Louie se sentou ao lado dele. E começou a alisar o gato como se não fosse nada. E papai diz que é *alérgico* a gatos.

E depois, para completar, ele nem queria falar sobre Genovia. Tudo que queria era assistir a programas esportivos. Não estou brincando. Esportes. Nós temos 77 canais e ele só se interessava pelos que mostravam homens vestindo uniforme e correndo atrás de uma bolinha. Esqueça a maratona de filmes de Dirty Harry. Esqueça os videoclipes. Ele simplesmente colocou em um canal de esportes e ficou olhando vidrado para a tela, e quando eu disse que mamãe e eu geralmente assistimos ao que estiver passando na HBO nas noites de sábado, ele apenas aumentou o volume!!!

Que garotão!

E você acha que isso foi suficientemente ruim? Pois devia ter visto ele quando a comida chegou. Mandou Lars revistar o entregador, antes de deixar que ele subisse! Você pode acreditar numa coisa dessas? Eu tive que dar a Antônio um dólar extra para compensá-lo por aquele vexame todo. E em seguida meu pai se sentou e comeu, sem dizer uma única palavra até que, depois de outro uísque com soda, caiu no sono, bem em cima do sofá, com Fat Louie no colo!

Acho que ser príncipe e ter câncer no testículo pode realmente levar uma pessoa a pensar que é especial. Quero dizer, Deus permita que ele passe algum tempo de qualidade com sua única filha, a herdeira de seu trono.

Por isso estou aqui novamente, em casa em um sábado à noite. NÃO que eu me sinta em casa à noite, exceto quando estou com Lilly. Por que sou tão impopular? Quero dizer, sei que parece meio esquisito e tudo mais, mas tento de verdade ser legal com as pessoas, sabia? Você pode pensar que as pessoas me dariam valor como ser humano e me convidariam para festas simplesmente porque gostam de minha companhia. Não é culpa MINHA se meu cabelo fica desse jeito, não mais que é culpa de Lilly se a cara dela parece meio puxada para dentro.

Tentei ligar para Lilly um milhão de vezes, mas o telefone só dava ocupado, o que significava que Michael estava provavelmente trabalhando em seu e-zine. Os Moscovitz estão tentando conseguir uma segunda linha, para que pessoas que ligam para eles consigam falar de vez em quando, mas a companhia telefônica diz que não tem mais números 212 para instalar. A mãe de Lilly se recusa a ter dois códigos de área diferentes no mesmo apartamento e diz que, se não pode ter mais um 212, vai comprar um *beeper*. Além disso, Michael vai para a faculdade no ano que vem e os problemas de telefone deles serão resolvidos.

Eu queria realmente falar com Lilly. Quero dizer, eu não contei nada a ela sobre esse negócio de princesa, e não vou, nunca, mas, às vezes, mesmo sem dizer a ela o que está me incomodando, conversando com Lilly eu me sinto melhor. Talvez seja simplesmente por saber que outra pessoa de minha idade também está encalhada em casa em uma noite de sábado. Quero dizer, a maioria das outras garotas da classe tem um namorado. Até Shameeka começou a namorar. Ela ficou muito popular depois que os seios dela apareceram no verão. É verdade que ela não pode passar de dez horas, mesmo nos fins de semana, e que ela tem que apresentar o namorado ao pai e à mãe, e o namorado tem que fornecer um roteiro detalhado de aonde exatamente vão e o que vão fazer, além de mostrar duas fotos para o sr. Taylor xerocar, antes que Shameeka possa sair de casa com ele.

Mas, ainda assim, ela está namorando. Alguém pediu para sair com ela.

Ninguém nunca me pediu.

Era muito chato ficar olhando papai roncar, mesmo que fosse cômica a maneira como Fat Louie olhava para ele, todo aborrecido, sempre que ele respirava fundo. Eu já vi todos os filmes de Dirty Harry e não havia nada na TV que prestasse. Resolvi tentar mandar uma mensagem para Michael, dizendo que precisava falar urgentemente com Lilly e que ele, por favor, saísse da linha para eu telefonar.

CracKing: O QUE É QUE VOCÊ QUER, THERMOPOLIS?

FtLouie: QUERO FALAR COM LILLY. POR FAVOR, SAIA DA LINHA PARA EU PODER LIGAR.

CracKing: O QUE É QUE VOCÊ QUER FALAR COM ELA?

FtLouie: NÃO É DA SUA CONTA. APENAS, SAIA DA LINHA, POR FAVOR. VOCÊ NÃO PODE MONOPOLIZAR TODAS AS LINHAS DE COMUNICAÇÃO. NÃO É JUSTO.

CracKing: NINGUÉM DISSE QUE A VIDA É JUSTA, THERMOPOLIS. O QUE É QUE VOCÊ ESTÁ FAZENDO EM CASA, POR FALAR NISSO? O QUE FOI QUE HOUVE? O GAROTO DE SEUS SONHOS NÃO TELEFONOU?

FtLouie: QUEM É O GAROTO DOS MEUS SONHOS?

CracKing: VOCÊ SABE, SEU COMPANHEIRO PÓS-CATÁSTROFE NUCLEAR, JOSH RICHTER.

Lilly contou a ele! Não posso acreditar que ela contou! Eu vou matá-la!

FtLouie: VOCÊ QUER, POR FAVOR, SAIR DA LINHA PARA EU PODER TELEFONAR PARA LILLY?

CracKing: O QUE É QUE HÁ, THERMOPOLIS? TOQUEI EM ALGUM PONTO SENSÍVEL?

Desliguei o computador. Às vezes ele consegue ser um babaca.

Mas, uns cinco minutos depois, o telefone tocou e era Lilly. Por isso acho que, embora Michael seja um babaca, ele é um babaca legal quando quer.

Lilly estava muito preocupada com a maneira como seus pais estão violando seu direito de livre expressão, assegurado pela Primeira Emenda constitucional, por não querer que ela filme o episódio de seu programa dedicado aos seus pés. Ela vai ligar para a Associação Americana pelas Liberdades Civis logo que ela abrir na segunda-feira pela manhã. Sem o apoio financeiro dos pais, que eles suspenderam nesse momento, o *Lilly Tells It Like It Is* não pode continuar no ar. O programa custa uns 200 dólares por episódio, se incluirmos o preço do filme e tudo mais. O acesso público só é possível a pessoas que têm dinheiro.

Lilly estava tão chateada que não senti vontade de gritar com ela por ter dito a Michael que eu havia escolhido Josh. Agora que estou pensando nisso, provavelmente é melhor assim.

Minha vida é uma complicada teia de mentiras.

Domingo, 5 de Outubro

Não posso acreditar que o sr. Gianini contou a ela. Não posso acreditar que ele disse a mamãe que matei aquela aula chata de apoio na sexta-feira!!!

Alô! Eu não tenho nenhum direito neste país? Não posso matar uma aula de revisão sem ser detonada pelo namorado de minha mãe?

Quero dizer, como se minha vida já não fosse um horror: eu já sou deformada e ainda tenho que ser princesa. Todas as minhas atividades têm que ser denunciadas pelo meu professor de álgebra?

Muito obrigada, sr. Gianini. Obrigada, vou ter que passar todo meu domingo com a fórmula da equação do segundo grau enfiada na minha cabeça por meu pai débil mental, que passou o tempo todo coçando a cabeça careca e gritando de frustração quando descobriu que não sei como multiplicar frações.

Alô? Posso lembrar a todos que o certo é que eu passe o sábado e o domingo LIVRE da escola?

E o sr. Gianini teve que dizer a minha mãe que vai haver um teste surpresa amanhã. Quero dizer, acho que foi legal da parte dele fazer isso, me dar um aviso, mas também não se espera que ninguém estude para uma prova surpresa. O objetivo dessas coisas é verificar o que a pessoa guardou.

Mas também, já que aparentemente não retive nada de matemático desde o primário, acho que não posso realmente culpar meu pai por ficar tão furioso. Ele me disse que, se eu não for aprovada em álgebra, vai me obrigar a ir para a escola de verão. Aí eu disse que a escola de verão seria legal para mim, afinal eu já havia concordado em passar os verões em Genovia. E ele então disse que eu teria que fazer a escola de verão em GENOVIA.

Tudo bem. Conheci alguns garotos que estudavam em Genovia e eles não sabiam nem o que era uma progressão numérica. E eles medem tudo em quilos e centímetros. Como se o sistema métrico não estivesse inteiramente ultrapassado!

Mas, apenas por precaução, não vou me arriscar. Escrevi a fórmula da equação do segundo grau na sola branca de meu tênis de cano alto, exatamente no ponto onde ele se curva entre calcanhar e os dedos. Vou usá-los amanhã, cruzar as pernas e dar uma olhada, se der um branco em mim.

Segunda-feira, 6 de Outubro, Três da Manhã

Passei a noite toda acordada, preocupada com a possibilidade de ser surpreendida colando. O que é que vai acontecer se alguém descobrir que escrevi a fórmula da equação do segundo grau no tênis? Vão me expulsar? Eu não quero ser expulsa! Quero dizer, mesmo que todo mundo na Albert Einstein pense que eu sou uma aberração, estou ficando mais ou menos acostumada com isso. Não quero ter que começar tudo de novo numa nova escola. Vou ter que usar a marca vermelha de quem colou durante todo o resto de minha carreira na escola!

E o que dizer da faculdade? Talvez eu não seja aceita, se constar do meu histórico que colei em provas.

Não que eu queira fazer um curso superior. Mas e o Greenpeace? Tenho certeza de que o Greenpeace não quer pessoas que colam em provas. Oh, meu Deus, o que é que eu vou fazer???

Segunda-feira, 6 de Outubro, Quatro da Manhã

Tentei tirar a fórmula da equação do segundo grau do tênis, mas ela não quer sair! Devo ter usado tinta permanente ou algo assim! E se meu pai descobrir? Ainda cortam a cabeça de pessoas em Genovia?

Segunda-feira, 6 de Outubro, Sete da Manhã

Resolvi usar minhas botas e jogar fora os tênis a caminho da escola — mas então arrebentei um dos cadarços da bota! Não posso usar nenhum dos outros sapatos porque todos eles são 39, e meu pé cresceu dois centímetros e meio no mês passado! Mal consigo andar de chinelo, e os calcanhares ficam sobrando nos meus tamancos. Não tenho opção, a não ser usar os tênis!

Vão descobrir tudo, tenho certeza. Eu tenho certeza que vão.

Segunda-feira, 6 de Outubro, 9 da Manhã

No carro a caminho da escola, descobri que podia ter tirado os cadarços do tênis e enfiado nas minhas botas. Eu sou tão burra.

Lilly quer saber por quanto tempo mais papai vai ficar na cidade. Ela não gosta de ser levada de carro à escola. Gosta de pegar o metrô porque pode praticar seu espanhol, lendo todos os cartazes com avisos sobre cuidados de saúde. Respondi que não sabia por quanto tempo papai ia ficar aqui, mas que eu tinha a impressão de que não me deixariam viajar mais de metrô, para qualquer lugar.

Lilly comentou que papai estava levando longe demais essa coisa da infertilidade, que só porque ele não pode mais deixar ninguém *embarazada* não é razão para essa superproteção comigo. Notei que, ao volante, Lars estava meio que rindo consigo mesmo. Tomara que ele não fale espanhol. Como seria embaraçoso.

De qualquer jeito, Lilly continuou dizendo que eu tinha que tomar uma atitude imediatamente, antes que as coisas piorassem, e que ela já notava que isso estava começando a me fazer mal, porque eu parecia abatida e estava com olheiras.

Claro que estou abatida! Estou acordada desde as três da madrugada, tentando lavar os tênis!

Entrei no banheiro das meninas e tentei lavá-los de novo. Lana Weinberger chegou enquanto eu estava lá. Ela me viu lavando os tênis, apenas moveu os olhos para cima e começou a escovar seus longos cabelos tipo Marcia Brady e a se olhar no espelho. Eu até esperei que ela se aproximasse do reflexo e o beijasse, de tão evidentemente apaixonada por si mesma.

A fórmula da equação do segundo grau ficou toda borrada, mas ainda legível no tênis. Mas não vou olhar para ela durante o exame, juro.

Segunda-feira, 6 de Outubro, S & T

OK, confesso. Olhei.

E também não adiantou nada. Depois de recolher as provas, o sr. Gianini resolveu os problemas no quadro-negro e eu errei todos.

EU NEM CONSIGO COLAR DIREITO!!!

Devo ser a figura humana mais patética do planeta.

polinômios

termo: variáveis multiplicadas por um coeficiente

grau do polinômio = grau do termo com o coeficiente mais alto

Alô? ALGUÉM se importa??? Quero dizer, alguém se importa de verdade com polinômios? Quero dizer, além de pessoas como Michael Moscovitz e o sr. Gianini. Alguém mais? Alguém, qualquer um?

Quando a campainha finalmente tocou, o sr. Gianini perguntou: "Mia, terei o prazer de sua companhia esta tarde na aula de revisão?"

Eu disse que sim, mas não disse isso alto bastante para que alguém além dele ouvisse.

Por que eu? Por quê, por quê, por quê? Como se eu já não tivesse o suficiente com que me preocupar. Estou levando pau em álgebra, mamãe está namorando com meu professor e sou a princesa de Genovia.

Alguma coisa tem que dar certo.

Terça-feira, 7 de Outubro

Ode à Álgebra

Jogadas nesta sala de aula nojenta,
morremos como mariposas sem uma lâmpada,
fechadas dentro da desolação de
luzes fluorescentes e carteiras de metal.
Dez minutos, até que toque a sineta.
Para que serve em nossa vida diária
a fórmula da equação do segundo grau?
Podemos usá-la para abrir os segredos
dos corações das pessoas que amamos?
Cinco minutos até que toque a sineta.
Professor cruel de álgebra,
você não vai nos dispensar?

DEVER DE CASA

Álgebra: problemas 17-30 sobre distribuição de ajuda
Inglês: proposta
Civilizações Mundiais: questões no fim do Capítulo 7

S & T: nenhum

Francês: frases com *huit*, exemplo A, pág. 31.

Biologia: rascunho

Quarta-feira, 8 de Outubro

Oh, não.

Ela está aqui.

Bem, não aqui, exatamente. Mas ela está no país. Está na cidade. Para dizer a verdade, a apenas 57 quarteirões de distância. Está no Plaza, com papai. Graças a Deus. Agora, só vou ter que vê-la depois das aulas e nos fins de semana. Seria um saco se ela estivesse hospedada aqui.

É horrível vê-la como a primeira coisa pela manhã. Ela usa aqueles negligês enfeitados para ir dormir, com partes de renda larga que mostram tudo. Você sabe como é. Coisas que a gente não quer ver. E mais, embora tire a maquiagem quando vai dormir, ela ainda conserva um contorno de pálpebras, tatuados ali na década de 80 quando ela passou por uma rápida fase maníaco-depressiva após a morte da Princesa Grace (é o que mamãe diz). É muito esquisito ver, como primeira coisa pela manhã, uma velhinha usando camisola de renda, com aquelas grandes linhas pretas em volta dos olhos.

Para dizer a verdade, dá medo. Dá mais medo do que Freddy Kruger e Jason juntos.

Não é de espantar que Grandpère tenha morrido na cama de ataque cardíaco. Ele provavelmente rolou para o lado certa manhã e olhou bem para a esposa.

Alguém deveria avisar o presidente que ela está aqui. Estou falando sério. Ele deveria realmente ser informado. Porque, se alguém pode desencadear a III Guerra Mundial, esse alguém é minha avó.

Na última vez que a vi, ela estava dando um jantar festivo e servindo foie gras a todo mundo, menos àquela mulher. Ela simplesmente disse a Marie, a cozinheira, que deixasse sem foie gras o prato da tal mulher. E quando eu tentei dar à pobre o meu foie gras, porque pensei que havia acabado — e, de qualquer modo, não como nada que já foi vivo — minha avó disse: "Amelia!" E falou tão alto que me assustou. Com isso fez com que eu deixasse cair no chão minha porção. Aquele horrível poodle miniatura dela pegou a porção no parquete antes mesmo que eu pudesse me mover.

Mais tarde, quando todos foram embora e eu perguntei por que ela não mandou servir foie gras àquela mulher, Grandmère disse que era porque a fulana havia tido um filho fora do casamento.

Alô? Grandmère, você dá licença para eu dizer que seu próprio filho teve uma filha fora do casamento, eu, Mia, sua neta?

Mas quando eu disse isso, Grandmère simplesmente gritou com a empregada para lhe trazer outro drinque. Oh, então acho que tudo bem ter um filho fora do casamento se a gente é PRÍNCIPE. Mas se é apenas plebeu, nada de foie gras.

Oh, não! E se Grandmère vier aqui até o sótão? Ela nunca esteve aqui antes. Eu acho que ela jamais esteve abaixo da rua 57. Ela vai odiar as coisas aqui no Village, estou lhe dizendo desde já. Em nosso bairro, as pessoas do mesmo sexo se beijam e andam de mãos dadas o tempo todo. Grandmère tem ataque até quando vê gente do sexo oposto de mãos dadas. O que é que ela vai fazer no dia da Parada do Orgulho Gay, quando todo mundo se beija, se agarra pelas mãos e berra “Estamos Aqui, Somos Veados, Acabem com Esse Preconceito”? Grandmère não vai superar isso. Pode ter um enfarte. Ela nem gosta de orelhas furadas, quanto mais de outras coisas furadas com piercings.

Além do mais, aqui é proibido por lei fumar em restaurantes, e Grandmère fuma o tempo todo, mesmo na cama, o que foi o motivo pelo qual Grandpère mandou instalar aquelas estranhas máscaras descartáveis de oxigênio em todos os cômodos de Miragnac e abrir um túnel subterrâneo pelo qual a gente poderia fugir, no caso de Grandmère cair no sono com um cigarro na boca e o castelo pegar fogo.

Além do mais, Grandmère odeia gatos. Ela acha que eles saltam de propósito em cima de crianças que estão dormindo para sugar o oxigênio delas. O que é que ela vai dizer quando vir Fat Louie? Ele dorme na cama comigo todas as noites. Se um dia ele saltar no meu rosto, vai me matar imediatamente. Ele pesa 13kg e isso antes de comer sua lata de Fancy Feast pela manhã.

E vocês podem imaginar o que ela faria quando conhecesse a coleção de deusas da fecundidade, em madeira, de minha mãe?

Por que ela teve que vir AGORA? Ela vai botar TUDO a perder. Com ELA por aqui não vou poder mais esconder este segredo de ninguém.

Por quê?

Por quê??

POR QUÊ???

Quinta-feira, 9 de Outubro

Descobri por quê.

Ela vai me dar lições sobre como ser princesa.

Eu estou num estado de choque profundo demais para poder escrever. Mais, depois.

Sexta-feira, 10 de Outubro

Lições sobre como ser princesa.

Não estou brincando. Tenho que ir direto de minha aula de revisão de álgebra para o Plaza, a fim de tomar lições de princesa com minha avó.

Ok, se há um Deus, como isso pôde acontecer?

Estou falando sério. As pessoas dizem que Deus não dá nunca mais do que a gente pode aguentar, mas eu estou dizendo a você, agora mesmo, que não aguento mais. Isso é simplesmente demais! Não posso ir todos os dias, depois da escola, receber lições de como ser princesa.

Papai diz que não tenho escolha. Noite passada, depois de sair do quarto de Grandmère no Plaza, fui direto para o quarto dele. Bati à porta e, quando ele abriu, entrei toda séria e disse que não ia mais fazer isso. De jeito nenhum. Ninguém havia me falado nada sobre lições para ser princesa.

E quer saber o que foi que ele disse? Disse que eu havia assinado o compromisso, então era obrigada a tomar aulas de princesa como parte de meus deveres como herdeira.

Eu disse que a gente teria simplesmente que modificar o compromisso, porque não havia nele nada dizendo que eu tinha que me encontrar com Grandmère todos os dias depois das aulas para tomar lições de como ser princesa.

Mas meu pai não quis nem conversar sobre isso. Disse que estava atrasado e que, por favor, poderíamos conversar sobre o assunto noutra ocasião? E enquanto eu estava ali, dizendo que tudo isso era injusto, entrou uma repórter da ABC. Acho que ela tinha vindo entrevistá-lo, mas aquilo foi meio engraçado, porque já a vi entrevistar pessoas antes e, normalmente, ela não usa vestido preto tomara que caia quando entrevista o presidente ou outro figurão.

Vou ter que dar uma boa olhada hoje à noite naquele termo de compromisso, porque não me lembro de dizer coisa nenhuma sobre lições de princesa.

Vejam só como foi minha primeira "lição", ontem, depois da escola.

Em primeiro lugar, o porteiro não quis nem me deixar entrar (grande surpresa). Depois, ele viu Lars, que deve medir 1,90 ou mais e pesar uns 150 kg. Além disso, Lars tinha um volume aparecendo debaixo do paletó e só então descobri que aquilo era uma arma e não um estranho terceiro braço, que foi a primeira coisa que pensei. Fiquei muito sem graça para perguntar o que era aquilo, já que isso poderia trazer à tona recordações dolorosas para ele, de ser perseguido quando criança em Amsterdã, ou onde quer que tenha nascido. Quero dizer, eu sei o que é ser uma aberração: e é melhor não botar para fora esse tipo de coisa.

Mas, não, é uma arma, e o porteiro ficou todo nervoso e chamou a recepcionista. Graças a Deus, ela reconheceu Lars, que está hospedado ali, afinal de contas, em um quarto da suíte de papai.

Então a própria recepcionista me escoltou até a cobertura, que é onde está hospedada Grandmère. Mas eu quero falar sobre a cobertura. É muito luxuosa. Eu disse que o banheiro feminino do Plaza era luxuoso? Pois não é nada em comparação com a cobertura.

Em primeiro lugar, tudo é cor-de-rosa. Paredes, carpete, cortinas, mobília. Há rosas cor-de-rosa em toda parte e aqueles retratos pendurados na parede, todos eles mostram pastorinhas cor-de-rosa e tudo mais.

E exatamente quando eu pensei que ia me afogar em cor-de-rosa, entra Grandmère, inteiramente vestida de roxo, com um turbante de seda caindo até as sandálias e anéis de imitação de diamante nos dedos dos pés.

Pelo menos, acho que são de imitação.

Grandmère sempre usa roxo. Lilly diz que pessoas que usam muito essa cor têm distúrbios de personalidade limítrofe, porque sofrem de mania de grandeza. Tradicionalmente, o roxo sempre representou aristocracia, uma vez que, durante centenas de anos, camponeses não podiam tingir suas roupas com corante azul-escuro e, portanto, não conseguiam obter a cor.

Claro, Lilly não sabe que minha avó É membro da aristocracia. De modo que, embora Grandmère seja definitivamente uma pessoa delirante, não é porque PENSE que é da aristocracia, mas porque É de verdade.

Então Grandmère entra, vindo do terraço, e a primeira coisa que me diz é: "O que é essa coisa escrita aí no seu tênis?"

Mas não precisei me preocupar com a possibilidade de ela saber que eu colava nas provas, porque, imediatamente, ela começou a dizer tudo mais que estava errado comigo:

"Por que você está usando tênis com saia? Essa malha está limpa? Por que você não pode ficar reta? O que é que há com seus cabelos? Você andou roendo as unhas novamente, Amelia? Eu pensava que nós havíamos combinado que você abandonaria esse hábito grosseiro. Deus do céu, você não pode parar de crescer? Seu objetivo é ser tão alta quanto seu pai?"

Tudo isso parecia ainda pior porque era dito em francês.

E em seguida, como se isso já não fosse ruim o suficiente, ela continuou naquela voz velha e esganiçada de fumante inveterada: "Você não dá nem um beijo em sua grandmère?"

De modo que fui até ela, curvei-me (minha avó é uns 30 cm mais baixa do que eu) e beijei-a na bochecha (que é muito macia porque ela passa vaselina no rosto todas as noites antes de ir dormir) e, quando comecei a me afastar, ela me agarrou e continuou: "*Pfuit!* Você esqueceu tudo que lhe ensinei?" e me obrigou a beijá-la na outra bochecha também, porque na Europa (e no SoHo) é assim que a gente diz oi às pessoas.

De qualquer jeito, eu me abaixei e beijei Grandmère na outra bochecha e, quando fiz isso, observei Rommel espiando atrás dela. Rommel é o poodle miniatura de 15 anos de minha avó. Ele tem a mesma forma e tamanho de uma iguana, só não é tão esperto. Ele se sacode o tempo todo e tem que usar colete antipulga. Hoje, o colete era da mesma cor do vestido de Grandmère. Rommel não deixa que ninguém toque nele, com exceção de Grandmère, e mesmo assim ele mexe os olhos para cima como se estivesse sendo torturado enquanto ela o agrada.

Se tivesse conhecido Rommel, Noé poderia ter abandonado a ideia de embarcar na arca duas de todas as criaturas de Deus.

"Agora", disse Grandmère quando achou que já havia sido suficientemente carinhosa, "vamos ver se entendi bem: seu pai disse que você é a princesa de Genovia e você se derramou em lágrimas. O que é que isso significa?"

De repente, fiquei muito cansada. Tive que me sentar em uma das cadeiras acolchoadas cor-de-rosa para não cair.

"Oh, Grandmère", respondi em inglês, "eu não quero ser princesa. Eu só quero ser eu mesma, Mia."

Grandmère me repreendeu na hora: "Não converse comigo em inglês. É vulgar. Use o francês quando falar comigo. Endireite-se nessa cadeira. Não passe as pernas sobre os braços. E você não é Mia. Na verdade, você é Amelia Mignonette Grimaldi Renaldo."

Eu respondi: "Você esqueceu Thermopolis", e Grandmère me lançou aquele olhar maligno. Ela é muito boa nisso.

"Não", respondeu ela. "Eu não esqueci o Thermopolis."

Vovó se sentou em uma poltrona junto de mim e disse: "Você está dizendo que não deseja assumir o lugar que de direito lhe pertence, o trono."

Pô, como eu estava cansada. "Grandmère, você sabe tanto quanto eu que não levo jeito pra princesa, OK? Se é assim, por que estamos perdendo esse tempo todo?"

Grandmère me olhou de dentro das tatuagens gêmeas das pálpebras. Eu podia ver que ela queria me matar, mas provavelmente não conseguia descobrir como fazer isso sem sujar de sangue o carpete cor-de-rosa.

"Você é a herdeira da coroa de Genovia", disse ela em uma voz totalmente séria. "E vai tomar o lugar de meu filho no trono quando ele falecer. E é assim que vai ser. Não há outra maneira."

Não diga!

De modo que eu disse mais ou menos o seguinte: "Tudo bem, o que a senhora quiser, Grandmère. Escute. Eu tenho um monte de dever de casa para fazer. Esta coisa de princesa vai demorar muito?"

Grandmère apenas olhou para mim. "Vai durar tanto quanto tiver que durar", disse. "Não tenho medo de sacrificar meu tempo — ou sacrificar a mim mesma — pelo bem de meu país."

Uau! A coisa estava se tornando muito patriótica. "Humm", disse eu. "Tudo bem."

Então olhei fixamente para ela durante algum tempo, ela olhou fixamente de volta para mim, enquanto Rommel se deitava no carpete entre nossas poltronas, só que ele fez isso bem devagar, como se suas pernas fossem delicadas demais para aguentar seu 1 kg de peso, e em seguida Grandmère rompeu o silêncio, dizendo: "Começaremos amanhã. Você virá para cá diretamente da escola."

"Hummm, Grandmère. Não posso vir direto da escola. Estou levando pau em álgebra e tenho revisão todos os dias, depois das aulas."

"Nesse caso, depois disso. Nada de vadiagem. Traga uma lista das dez mulheres que você mais admira no mundo e o motivo por quê. Por hoje, é só."

Fiquei boquiaberta. Dever de casa? Vai ter dever de casa? Ninguém disse nada sobre dever de casa!

"E feche a boca", disse ela secamente. "É deselegante deixar a boca aberta dessa maneira."

Fechei a boca. Dever de casa???

"Amanhã, você vai usar meias de nylon. Não malha. Não meias pelos joelhos. Você já está crescida demais para malha e meias pelos joelhos. E vai usar os sapatos da escola, e não tênis. Vai arrumar os cabelos, usar batom e pintar as unhas — o que resta delas, pelo menos." Grandmère levantou-se. Não precisou nem empurrar com as mãos os braços da cadeira para se levantar. Grandmère é muito ágil para a idade. "Agora, vou ter que me vestir para jantar com o xá. Adeus."

Eu fiquei simplesmente sentada ali. Ela estava louca? Completamente pirada? Tinha a menor ideia do que estava pedindo que eu fizesse?

Evidentemente tinha, já que, quando menos esperava, Lars estava ali e ela e Rommel haviam desaparecido.

Meu Deus! Dever de casa!!! Ninguém disse que ia ter dever de casa.

E isso não foi o pior. Meia-calça? Para ir à escola? Quero dizer, as únicas meninas que usam meia-calça na escola são garotas como Lana Weinberger e as veteranas, e gente desse tipo. Sabe como é. Exibicionistas. Nenhuma de minhas amigas usa meia-calça.

E, eu poderia acrescentar, nenhuma delas usa batom, base nas unhas ou arruma os cabelos. Não para a escola, pelo menos.

Mas que escolha eu tinha? Grandmère me apavorava por completo, com suas pálpebras tatuados e tudo mais. Eu NÃO podia fazer o que ela disse.

Então o que fiz foi pegar emprestadas umas duas meias-calças de mamãe. Ela sempre as usa quando tem uma inauguração — e quando sai com o sr. Gianini, notei isso. Levei um par comigo na mochila quando fui para a escola. Eu não tinha unhas para pintar — de acordo com Lilly, eu tenho uma fixação oral; se alguma coisa cabe na minha boca, é aí que a boto — mas também peguei emprestado um dos batons de minha mãe. E experimentei um fixador de cabelo que encontrei no armarinho de remédios. Deve ter funcionado porque, quando Lilly entrou no carro naquela manhã, disse: "Onde foi que você pegou essa garota de Jersey, Lars?"

O que significava que meu cabelo estava realmente legal, como as moças de Nova Jersey usam quando vêm a Manhattan para um jantar romântico na Little Italy com seus namorados.

Então, depois da aula de revisão com o sr. G no fim do dia, fui ao banheiro das meninas e vesti a meia-calça, passei o batom e calcei os mocassins, que são muito pequenos e apertam meus dedos. Quando me olhei no espelho, achei que não estava tão ruim assim. Achei que Grandmère não ia ter motivo para queixa.

Achei que tinha sido muito esperta esperando para me trocar depois da escola. Achei que, numa tarde de sexta-feira, não haveria ninguém circulando por ali. Quem quer ficar circulando na escola numa sexta-feira?

Eu havia esquecido, claro, o Clube do Computador.

Todo mundo esquece o Clube do Computador, até os próprios sócios. Eles não têm amigo nenhum, exceto eles mesmos, e nunca saem com uma garota — só que, ao contrário de mim, fazem isso por escolha: ninguém na Albert Einstein é bastante sabido para eles — exceto, claro, eles mesmos.

De qualquer modo, saí do banheiro das meninas e dei de cara com o irmão de Lilly, Michael. Ele é o tesoureiro do Clube do Computador. É bastante esperto para ser presidente, mas diz que não tem interesse em ser uma figura decorativa.

"Cristo, Thermopolis", disse ele, enquanto eu me agitava, tentando apanhar tudo que havia deixado cair — como meus tênis de cano alto, meias e o resto — e acabei me chocando com ele. "O que foi que aconteceu com você?"

Pensei que ele quisesse saber por que estava ali tão tarde. "Você sabe, tenho que me encontrar com o sr. Gianini todos os dias após as aulas, porque estou levando pau em álge..."

"Eu sei disso." Michael ergueu o batom que tinha pulado de minha mochila. "Quero dizer, por que a pintura de guerra?"

Tomei o batom da mão dele. "Por nada. Não diga a Lilly."

"Não dizer a Lilly o quê?" Eu me levantei nesse momento e ele percebeu a meia-calça. "Meu Deus, Thermopolis. Aonde você vai?"

"A lugar nenhum." Será que eu vou ser sempre obrigada a mentir o tempo todo? Eu gostaria, mesmo, que ele se mandasse. Um bando de seus amigos *nerds* olhava para mim fixamente como se eu fosse uma nova tonalidade de pixel ou coisa parecida. E aquilo estava me deixando muito envergonhada.

"Ninguém vai *a lugar nenhum* com essa aparência." Michael trocou o laptop de braço e o rosto dele ficou engraçado. "Thermopolis, você vai sair com um namorado?"

"*O quê*? Não, não vou sair com namorado nenhum!" Fiquei inteiramente chocada com essa ideia. Um *namorado*? *Eu*? Essa não. "Vou me encontrar com minha avó."

Michael fez uma cara de que não acreditava em mim. "E você geralmente usa batom e meia-calça para visitar sua avó?"

Ouvi uma tossida discreta, olhei pelo corredor e vi Lars junto à porta, me esperando.

Acho que poderia ter ficado ali e explicado que minha avó havia me ameaçado com castigo físico (bem, praticamente), se eu não usasse maquiagem e meia-calça para ir me encontrar com ela. Então eu disse: "Escute aqui, não diga a Lilly, OK?"

Depois saí de lá correndo.

Eu sabia que estava ferrada. Era impossível Michael não dizer à irmã que tinha me visto saindo do banheiro das meninas, depois da aula, usando batom e meia-calça. Impossível.

E Grandmère foi HORRÍVEL comigo. Disse que o batom que eu usava fazia com que eu parecesse uma *poulet*. Pelo menos, foi isso que eu pensei que ela disse e não entendi por que ela achava que eu parecia uma franga. Mas acabei procurando *poulet* no meu dicionário inglês-francês e descobri que *poulet* também pode significar "prostituta"! Minha avó me chamou de puta!

Meu Deus! Cadê aquelas avós boazinhas que fazem bolinhos para a gente e dizem que nós somos as coisinhas mais lindas do mundo? É só sorte minha ter uma avó que usa delineador de olhos tatuado e diz que eu pareço uma puta.

E disse que a meia-calça que eu usava era da cor errada. Como é que podia ser errada? Era da cor de meia-calça! Em seguida, ela me obrigou a sentar, treinando durante duas horas, para que a calcinha não aparecesse entre minhas pernas!

Estou pensando em ligar para a Anistia Internacional. Isto deve ser considerado tortura.

E quando dei a ela meu trabalho sobre as dez mulheres que mais admiro, ela leu e, em seguida, rasgou tudo em pedacinhos! Não estou brincando!

Não pude deixar de gritar: "Grandmère, por que foi que você fez isso?", e ela respondeu, com toda calma: "Esses não são os tipos de mulher que você deve admirar. Você deve admirar mulheres *de verdade*.

Perguntei o que era que ela queria dizer com "*mulheres de verdade*", porque todas as da minha lista eram mulheres de verdade. Quero dizer, Madonna pode ter feito algumas plásticas, mas ela continua a ser de verdade.

Mas Grandmère diz que mulheres autênticas são a Princesa Grace e Coco Chanel. Eu lembrei que a Princesa Diana estava na minha lista, e quer saber o que ela disse? Disse que acha que a Princesa Diana foi "um instante só"! Foi isso o que disse que ela era. Um "instante só".

Meu Deus!

Depois de a gente ter praticado sentar durante uma hora, Grandmère disse que tinha que ir tomar banho, porque ia jantar naquela noite com algum primeiro-ministro. E me disse para estar no Plaza amanhã não depois das dez — dez da manhã!

"Grandmère", disse eu. "Amanhã é sábado."

"Eu sei."

"Mas, Grandmère", continuei, "sábados são os dias em que ajudo minha amiga Lilly a filmar seu programa de TV..."

Grandmère, então, me perguntou o que era mais importante, o programa de TV de Lilly ou o bem-estar do povo de Genovia, que, caso eu não soubesse, estava na faixa dos 50 mil habitantes.

Acho que 50 mil pessoas são mais importantes do que um episódio do *Lilly Tells It Like It Is*. Ainda assim, vai ser difícil explicar a Lilly por que não vou poder segurar a câmera quando ela estiver conversando com o sr. e a sra. Ho, donos da Ho's Deli, que fica no outro lado da rua, em frente à Albert Einstein, sobre suas políticas injustas de preços. Lilly descobriu que o sr. e a sra. Ho dão grandes descontos a estudantes asiáticos da Albert Einstein, mas nenhum desconto a estudantes brancos, afro-americanos, latinos ou árabes. Lilly descobriu isso ontem, depois do ensaio da peça, quando foi comprar pastilhas de ginkgo biloba, e Ling Su, que estava na frente dela na fila, comprou a mesma coisa. Mas a sra. Ho cobrou dela (Lilly) cinco centavos a mais do que Ling Su pagou pelo mesmo produto.

E, quando Lilly protestou, a sra. Ho fingiu que não falava inglês, mesmo devendo falar um pouco, ou por que seu miniaparelho de TV estaria sempre ligado no programa da juíza Judy?

Lilly resolveu filmar e gravar às escondidas os Ho em vídeo para reunir prova do tratamento descaradamente preferencial que eles dão a asiático-americanos. Ela vai pedir um boicote geral da escola à Ho's Deli.

Na verdade, acho que Lilly está criando um caso muito grande por causa de cinco centavos. Mas Lilly diz que é uma questão de princípio e que, talvez, se as pessoas tivessem protestado quando os nazistas quebraram as vitrines das lojas dos judeus na Kristalnacht, eles não teriam colocado tanta gente nos fornos.

Não sei. Os Ho não são exatamente nazistas. São muito bons com o gato que criaram desde pequenininho para afugentar os ratos que querem comer as coxas de frango no bufê.

Talvez eu não esteja com tanta pena de perder a gravação amanhã.

Mas estou triste porque Grandmère rasgou minha lista das dez mulheres que mais admiro. Eu achei que a lista era legal. Quando voltei para casa, imprimi novamente a lista, só porque fiquei uma fera quando ela a rasgou daquela maneira. E incluí uma cópia neste diário.

Mas, depois de reler com todo cuidado minha cópia do Acordo Renaldo-Thermopolis, não encontrei nada sobre lições de princesa. Alguma coisa vai ter que ser feita a este respeito. Passei a noite toda deixando recados para meu pai, mas ele não respondeu. Onde estará ele?

Lilly também não está em casa. Maya disse que os Moscovitz foram jantar, como uma família, no Great Shanghai, para se conhecerem melhor como seres humanos.

Como eu gostaria que Lilly comesse logo, voltasse para casa e respondesse aos meus telefonemas. Não quero que ela pense que sou contra sua investigação pioneira da Ho's Deli. Eu quero apenas contar a ela que a razão para não dar as caras é que vou ter que passar o dia com minha avó.

Eu odeio minha vida.

As Dez Mulheres que Mais Admiro em Todo o Mundo

por Mia Thermopolis

Madonna. *Madonna Ciccone revolucionou o mundo da moda com seu senso iconoclasta de estilo, ofendendo às vezes pessoas que não têm ideias muito liberais — por exemplo, com brincos de imitação de diamante em forma de cruz, o que levou muitos grupos cristãos — ou que não têm senso de humor — a banir seus CDs, como a Pepsi, que não gostou quando ela dançou na frente de cruzes em chamas. E, porque não tinha medo de enfurecer pessoas como o Papa, Madonna tornou-se uma das artistas mais ricas do mundo, abrindo o caminho para outras artistas em toda parte, ao lhes mostrar que é possível ser sexy no palco e bem esperta fora dele.*

Princesa Diana. *Mesmo que já tenha morrido, a Princesa Diana é uma de minhas mulheres favoritas de todos os tempos. Ela também revolucionou o mundo da moda ao recusar-se a usar aqueles velhos e horrorosos chapéus que a sogra lhe disse para usar e, em vez disso, usava Halston e Bill Blass. Além disso, ela visitou um monte de gente muito doente, mesmo que ninguém a obrigasse a fazer isso, e algumas pessoas, como o marido, até zombassem dela. Na noite em que a Princesa Diana morreu, desliguei a TV e disse que nunca mais a ligaria, já que foi a mídia que a matou. Mas me arrependi na manhã seguinte, quando descobri que não podia assistir aos desenhos japoneses no canal de ficção científica, porque desligar a TV bagunçou nosso receptor de TV a cabo.*

Hillary Rodham Clinton. *Hillary Rodham Clinton se mancou e reconheceu que seus tornozelos grossos prejudicavam sua imagem como política séria e, por isso, começou a usar calça comprida. Além disso, mesmo que todo mundo a criticasse o tempo todo por não chutar o marido, que andava fazendo sacanagem quando ela não estava olhando, ela fingiu que não acontecia nada e continuou a governar o país, como sempre fez, que é como uma presidente deve se comportar.*

Picabo Street. *Ela ganhou todas as medalhas em esqui, tudo isso porque treinava como uma doida e nunca desistia, mesmo quando se esborrachava em cercas e coisas assim. Além do mais, escolheu seu próprio nome, o que é legal.*

Leola Mae Harmon. *Assisti a um filme sobre ela no canal Lifetime. Leola era uma major da Força Aérea que ficou com a parte inferior do rosto toda deformada por causa de um acidente de automóvel, até que Armand Assante, que faz o papel de um cirurgião plástico, disse que podia consertá-la. Leola teve que suportar horas de dolorosa cirurgia reparadora, durante as quais o marido abandonou-a porque ela não tinha mais lábios (o que acho que é o motivo do filme se chamar* Por Que Eu?*). Armand Assante disse que poderia fazer um novo par de lábios para ela, só que os outros médicos da Força Aérea não gostaram do fato de que ele queria fazê-los com pele da vagina de Leola. Mas ele fez, de qualquer jeito, e em seguida ele e Leola casaram e trabalharam juntos para dar lábios de vagina a outras vítimas de acidentes. E o filme todo baseou-se em um caso real.*

Joana d'Arc. *Joana d'Arc — ou Jeanne d'Arc como dizem na França — viveu lá pelo século XII e um dia, quando era da minha idade, ouviu um anjo dizer que ela deveria pegar em armas para ajudar o exército francês a combater os britânicos (os franceses estiveram sempre combatendo os britânicos, até que os nazistas atacaram e eles só sabiam dizer "*Zut alors? *Vocês podem nos ajudar?" e os britânicos tiveram que entrar na dança para tentar salvar aqueles bundas-moles, fato pelo qual nenhum francês se mostrou devidamente agradecido, como exemplificado pelo péssimo serviço de manutenção de estradas do país. Ver a morte da Princesa Diana, acima). De qualquer modo, Joana cortou os cabelos, arranjou uma armadura, exatamente igual à de Mulan no filme da Disney, foi em frente e levou os franceses à vitória em várias batalhas. Mas em seguida, como políticos típicos, o governo francês chegou à conclusão de que Joana havia se tornado poderosa demais, então a acusaram de feiticeira e a incineraram em uma estaca. E, ao contrário de Lilly, NÃO acredito que Joana estava sofrendo um início de esquizofrenia de adolescente. Acredito que anjos DE FATO falaram com ela. Nenhum dos esquizofrênicos da nossa escola jamais ouviu voz de anjo mandando que ele fizesse alguma coisa realmente legal, como comandar o país em uma batalha. Tudo que as vozes de Brandon Hertzenbaum disseram a ele foi para entrar no sanitário dos meninos e escrever a palavra "Satanás" nas portas dos reservados, usando a ponta de um compasso.*

Christy. *Christy não é realmente uma pessoa, mas a heroína fictícia de meu livro favorito de todos os tempos, chamado* Christy, *de Catherine Marshall. Christy é uma mocinha que vai ser, no início do século, professora nas Smokey Mountains, porque acredita que pode ser muito útil, e todos aqueles caras realmente quentes se apaixonam por ela, ela descobre Deus, pega febre tifoide e assim por diante. Só não digo a ninguém, especialmente a Lilly, que é o meu livro predileto, porque é meio sentimental e religioso e não tem naves espaciais nem serial killers.*

***A Policial Feminina que Vi** uma vez multando um motorista de caminhão por buzinar para uma mulher que estava atravessando a rua (a saia dela era bem curtinha). A policial disse a ele que ali era zona de silêncio e, depois, quando ele reclamou, multou-o de novo por discutir com uma representante da lei.*

***Lilly Moscovitz.** Lilly Moscovitz não é realmente uma mulher, mas, ainda assim, é uma pessoa que admiro muito. Ela é muito inteligente, mas, ao contrário de muita gente inteligente, não esfrega na minha cara o tempo todo que é muito mais inteligente do que eu. Bem, pelo menos, não muito. Lilly está sempre inventando coisas engraçadas para a gente fazer, como ir à Barnes & Noble e me filmar com uma câmera escondida perguntando à dra. Laura, que estava autografando um livro ali, se ela sabe tanto de tudo, por que se divorciou, e em seguida mostrando a cena no programa de TV (dela, Lilly), incluindo a parte em que fomos expulsas de lá e proibidas para sempre de entrar na Barnes & Noble da Union Square. Lilly é minha melhor amiga e eu conto tudo a ela, exceto a parte sobre eu ser princesa, que não acho que ela vá compreender.*

Helen Thermopolis. *Helen Thermopolis, além de ser minha mãe, é uma pintora muito talentosa e foi matéria na revista* Art in America *como uma das pintoras mais importantes do novo milênio. O quadro dela* Woman Waiting for Price Check at the Grand Union *ganhou aquele grande prêmio nacional e foi vendido por US$ 140 mil, dos quais mamãe só ficou com uma parte, porque 15 por cento eram da galeria de arte e metade do que sobrou foi para pagar imposto, o que é um saco, se quer saber a minha opinião. Eu a respeito também porque ela é uma mulher de princípos profundos: diz que nunca pensaria em infligir as coisas que pensa a outras pessoas e que gostaria que essas outras pessoas fizessem a mesma cortesia com ela.*

Você pode acreditar que Grandmère rasgou essa lista? Ouça o que estou dizendo, este é o tipo de redação que poderia botar um país de joelhos.

Sábado, 11 de Outubro, 9:30h da Manhã

Então eu tinha razão: Lilly pensa mesmo que não vou participar da gravação de hoje porque sou contra o boicote que ela quer fazer contra os Ho.

Respondi que isso não era verdade, que tinha que passar o dia com minha avó. Mas, quer saber de uma coisa? Ela não acreditou. Na única vez em que digo a verdade, ela não acredita em mim.

Lilly disse que se eu realmente quisesse me livrar do dia com minha avó poderia fazer isso, mas, porque sou tão dependente, não posso dizer não a ninguém. Isso nem faz sentido, já que, obviamente, estou dizendo não a ela. Quando chamei sua atenção para isso, porém, ela ficou ainda mais zangada. Não posso dizer não à minha avó, porque ela tem uns 65 anos de idade e vai morrer logo, se é que há justiça no mundo.

Além do mais, você não conhece minha avó, disse eu. Ninguém diz não à minha avó.

E então Lilly continuou: "Não, não conheço sua avó, conheço, Mia? Isso não é curioso, considerando o fato de que você conhece todos os meus avós" — os Moscovitz me convidam todos os anos para o jantar da Páscoa dos judeus — "e eu ainda não conheci nenhum dos seus?"

Bem, claro, a razão disso é que os pais de minha mãe são uns fazendeiros que moram num lugar chamado Versailles, Indiana, só que eles pronunciam "Ver-sales". Os pais de minha mãe têm medo de vir a Nova York, porque dizem que aqui tem muitos "estranjas" — com o que querem dizer "estrangeiros" — e tudo que não for cem por cento americano deixa eles assustados, uma das razões por que minha mãe saiu de casa quando tinha 18 anos e só voltou lá duas vezes, e, nas duas, comigo. Deixe que eu diga, Versailles é uma cidade muito, muito pequena. Tão pequena que há um cartaz na porta do banco dizendo SE O BANCO ESTIVER FECHADO, POR FAVOR, ENFIE O DINHEIRO POR BAIXO DA PORTA. Não estou mentindo. Tirei foto do cartaz e trouxe para mostrar a todo mundo, porque eu sabia que ninguém ia acreditar em mim. A foto está pendurada na porta da nossa geladeira.

De qualquer jeito, vovô e vovó Thermopolis não saem muito de Indiana.

E a razão por que nunca apresentei Lilly a Grandmère Renaldo é que ela odeia crianças. E não posso apresentá-la agora porque Lilly vai descobrir que sou a princesa de Genovia e, pode apostar, nunca vou ouvir o fim *disso*. Ela provavelmente ia querer me entrevistar para seu programa na TV. Era só o que faltava: meu nome e imagem colados por toda parte numa propaganda da Manhattan Public Access.

Enquanto eu estava contando a Lilly tudo isso — que tinha que passar o dia com minha avó, não que era princesa, claro — ouvia a respiração dela no telefone, daquela maneira que ela faz quando está cheia de raiva, e finalmente ela disse: "Oh, então venha hoje à noite e me ajude a editar o filme" e bateu o telefone na minha cara.

Meu Deus!

Bem, pelo menos Michael não contou a ela sobre o batom e a meia-calça. Isso teria deixado Lilly realmente furiosa. Ela nunca acreditaria que eu estava apenas indo visitar minha avó. De jeito nenhum.

Tudo isso estava acontecendo às 9:30h, quando eu estava me arrumando para ir visitar Grandmère. Grandmère disse que, só por hoje, não preciso usar meia-calça e batom. Disse que eu podia usar o que quisesse. Então botei um macaquinho. Sei que ela odeia, mas ela disse que eu podia usar o que quisesse. Ha, ha, ha.

Uau, tenho que ir. Lars acaba de parar em frente ao Plaza. Chegamos.

Sábado, 11 de Outubro

Nunca mais posso ir à escola. Nunca mais posso ir a qualquer lugar. Nunca mais vou deixar este sótão, nunca mais, nunca mais.

Vocês não vão acreditar no que ela fez comigo. Eu não posso. Não posso acreditar que papai deixasse ela fazer isso comigo.

Bem, ele vai ter que me pagar por isso. Vai pagar, mesmo, e quero dizer vai pagar PRA VALER. Logo que cheguei em casa (logo depois mamãe disse "Oi, Rosemary, onde está seu bebê?", o que acho que era uma espécie de piada sobre meu novo corte de cabelo, mas NÃO tinha nada de engraçado), fui direto a ele e disse: "Você vai pagar por isto. E caro."

Quem foi que disse que eu tenho medo de confrontação?

Ele fez tudo que podia para escapar, dizendo: "O que é que você quer dizer com isso? Mia, acho que você está linda. Não ligue para sua mãe. O que é que ela sabe? Gosto de seu cabelo. Está tão..."

Meu Deus, eu gostaria de saber por quê? Talvez porque a mãe dele se encontrou comigo e com Lars na recepção logo que entregamos o carro ao manobreiro e simplesmente apontou para a porta. Voltou a apontar para a porta e disse "*On y va*", que em inglês significa "Vamos".

"Vamos para onde?" perguntei, toda inocente (isso aconteceu esta manhã, lembrem-se, quando eu era ainda inocente).

"Chez Paolo", disse Grandmère. *Chez Paolo* significa "à casa de Paul". Então pensei que a gente ia visitar um dos amigos dela, talvez para um brunch ou coisa assim, e eu pensei, ahn, legal, trabalho de campo. Talvez essas lições de princesa não sejam tão ruins assim.

Mas, quando chegamos lá, vi que a Chez Paolo não era absolutamente uma casa. No começo, não consegui saber o que era. Parecia mais ou menos um hospitalzinho de luxo — todo de vidro fosco e com arvorezinhas japonesas. Entramos e toda aquela gente magrela pairava por ali, todos vestidos de preto. Estavam todos emocionados por ver minha avó e levaram a gente para uma sala pequena, cheia de sofás e um monte de revistas. Aí eu pensei que talvez Grandmère tivesse marcado uma plástica, e embora eu seja contra cirurgia plástica — a menos que a pessoa seja igual a Leola Mae e precise de lábios — eu até gostei, pelo menos ela deixaria de me encher por algum tempo.

Cara, como me enganei! Paolo não é médico. Duvido mesmo que ele já tenha feito faculdade! Paolo é *estilista*! Pior, ele estiliza pessoas! Estou falando sério. Ele pega pessoas comuns, desengonçadas como eu, e torna-as elegantes — por dinheiro. E vovó jogou ele contra mim! *Contra mim!* Como se já não bastasse eu não ter seios. Ela tinha que dizer uma coisa dessas a um cara chamado Paolo?

De qualquer maneira, que tipo de nome é esse, Paolo? Quero dizer, isto aqui é América, pelo amor de Deus! SEU NOME É PAUL!!!

Foi isso o que eu quis gritar na cara dele. Mas, claro, não pude. Quero dizer, não era culpa de Paolo que minha avó tivesse me arrastado para lá. E, como ele teve o cuidado de me dizer, só arranjou tempo para mim em sua agenda completamente lotada porque Gradmère disse a ele que era uma grande emergência.

Deus, que coisa mais embaraçosa. *Eu* sou uma *emergência* da moda.

De qualquer jeito, fiquei uma fera com Grandmère, mas não podia começar a gritar ali, na frente de Paolo. Ela também sabia muito bem disso. Ela se sentou no sofá de veludo, alisando Rommel, que se sentou no colo dela com as pernas cruzadas — ela conseguiu ensinar até ao cachorro como se sentar como uma dama fina, e ele é menino — tomando golinhos de Sidecar, que deu um jeito de alguém preparar para ela, e lendo *W*.

Enquanto isso, Paolo arrancava tufos enormes de meus cabelos, fazendo uma careta e dizendo com a maior tristeza: "Vai ter que ir. Todo ele tem que ir."

E ele foi. Todo ele. Bem, quase todo. Ainda tenho uns cachos e uma pequena franja.

Será que eu disse que não sou mais loura com cabelos cor de água de lavar louça? Não, agora sou apenas uma velha loura comum.

E Paolo não parou por aí. Ah, não. Eu agora tenho unhas nos dedos das mãos. Não estou brincando. Pela primeira vez em minha vida, tenho unhas nos dedos das mãos. São inteiramente postiças, mas tenho. E até parece que já tenho elas há algum tempo. Tentei arrancar uma delas, e como DOEU. Afinal de contas, que tipo de cola de astronauta essa manicure usou?

Você pode perguntar por quê, se eu não queria todo o meu cabelo arrancado e unhas postiças coladas em cima dos restos das minhas unhas naturais, eu deixei que fizessem tudo isso comigo.

Eu mesma estou me perguntando isso. Quero dizer, eu sei que tenho medo de confrontações. Então, claro que eu não ia jogar meu copo de limonada no chão e dizer: "OK, pare com essa frescura toda em cima de mim, agora mesmo!" Quero dizer, eles me deram limonada! Vocês podem imaginar uma coisa dessas? Na International House of Hair, aonde mamãe e eu vamos geralmente, lá na Sexta Avenida, é claro que eles não dão limonada pra gente, mas pelo corte e escova a seco cobram apenas US$ 9,99.

E é meio difícil, quando todas aquelas pessoas bonitas, elegantes, dizem como a gente parece bem usando isto e como nossas maçãs do rosto ganham vida com aquilo, a gente se lembrar que é feminista e ambientalista e que não acredita em usar maquiagem ou produtos químicos que sejam nocivos para o planeta. Quero dizer, eu não quis ferir os sentimentos deles ou fazer uma cena, ou coisa parecida.

E eu continuava a dizer a mim mesma: ela está fazendo isso apenas porque ama você. Minha avó, quero dizer. Sei que ela provavelmente não estava fazendo isso por tal razão — não acredito que Grandmère me ame mais do que eu a amo — mas eu disse isso a mim mesma, de qualquer jeito.

Eu disse isso a mim mesma depois que saímos do Paolo e fomos à Bergdorf Goodman, onde Grandmère me comprou quatro pares de sapatos que custaram quase tanto quanto a extração daquela meia do intestino delgado de Fat Louie. Disse isso a mim mesma depois que ela me comprou um monte de roupas que nunca vou usar. Eu disse a ela que não vou nunca usar essas roupas, mas ela simplesmente fez um gesto de pouco caso para mim. Algo como continue, continue, você diz tanta coisa engraçada.

Eu, pelo menos neste caso, não vou aguentar. Não há um único centímetro em mim que não tenha sido beliscado, cortado, limado, pintado, amassado, secado ou umedecido. Eu tenho até unhas.

Mas não me sinto feliz. Nem um pouquinho. Grandmère está feliz, Grandmère está radiante de felicidade com minha aparência. Porque eu não pareço em nada com Mia Thermopolis. Mia Thermopolis nunca teve unhas. Mia Thermopolis nunca usou maquiagem, sapatos Gucci, saias Chanel ou sutiã Christian Dior, que, por falar nisso, nem tem o número 32A, que é meu tamanho. Eu nem sei mais quem sou. Esta aqui certamente não é Mia Thermopolis.

Ela está me transformando em uma outra pessoa.

Por isso fiquei na frente do meu pai e soltei os cachorros:

"Primeiro, ela me obriga a fazer dever de casa. Depois rasga todo o trabalho que fiz. Depois me ensina como sentar. Em seguida, manda tingir meu cabelo de uma cor diferente e arrancar a maior parte dele, manda alguém colocar pequenas pranchas de surfe em cima de minhas unhas, compra sapatos que custam tanto quanto uma cirurgia no veterinário e roupas que me fazem parecer Vicky, a filha do comandante naquela velha série da década de 70, *The Love Boat*.

"Papai, sinto muito, mas não sou Vicky e nunca vou ser, por mais que Grandmère me vista como ela. Não vou me dar bem na escola, parecer superalegre o tempo todo, ou ter qualquer romance a bordo. Isso é coisa de Vicky. Não minha!"

Minha mãe estava saindo do quarto, aonde tinha ido retocar sua roupa de sair, quando eu gritei tudo isso. Ela usava roupas novas. Um tipo de saia espanhola com muitas cores e uma espécie de bustiê. Os cabelos longos estavam no lugar certo e ela parecia realmente maravilhosa. Para dizer a verdade, meu pai foi novamente pegar uma bebida no bar logo que a viu.

"Mia", disse ela, enquanto colocava um brinco, "ninguém está lhe pedindo que seja Vicky, a filha do comandante."

"Grandmère está!"

"Sua avó está apenas te preparando, Mia."

"Me preparando para quê? Eu não posso ir para a escola deste jeito, você sabe muito bem", gritei.

Mamãe pareceu meio confusa.

"Por que não?"

Oh, meu Deus. Por que eu?

"Porque", respondi com toda paciência possível, "eu não quero que ninguém na escola descubra que eu sou a princesa de Genovia!"

Mamãe sacudiu a cabeça.

"Mia, amor, algum dia eles vão descobrir."

Não sei como. Entenda, já planejei tudo: só vou ser princesa em Genovia, e já que a possibilidade de alguém que eu conheço da escola ir a Genovia é praticamente igual a zero, ninguém aqui vai saber, então estou inteiramente a salvo de ser marcada como uma anormal, como Tina Hakim Baba. Bem, pelo menos não o tipo de aberração que tem que ir para a escola todos os dias em limusine com motorista e seguida por seguranças.

"Bem", comentou mamãe depois que eu lhe disse tudo isso. "E se aparecer no jornal?"

"Por que apareceria no jornal?"

Mamãe olhou para papai. Papai desviou a vista e tomou um pequeno gole da bebida.

Você não acreditaria no que ele fez em seguida. Pôs o drinque de lado, enfiou a mão no bolso da calça, tirou sua carteira Prada, abriu, e perguntou: "Quanto?"

Fiquei chocada. Mamãe também.

"Phillipe...", disse ela. Mas papai simplesmente continuou a olhar para mim.

"Estou falando sério, Helen", disse ele. "Estou vendo que o acordo que redigimos não está nos levando a lugar nenhum. Então, quanto vou ter que lhe pagar, Mia, para que você deixe que sua avó a transforme em uma princesa?"

"É isso o que ela está fazendo?", gritei um pouco mais. "Se é isso que ela está fazendo, ela confundiu tudo. Eu nunca vi uma princesa com cabelo tão curto assim ou com pés tão grandes como os meus, e que não tem seios!"

Papai apenas deu uma olhada no relógio. Acho que ele tinha algum compromisso. Aposto que era outra "entrevista" com aquela âncora loura do ABC News.

"Considere isso um emprego", disse ele, "essa aprendizagem de como ser princesa. Eu pago seu salário. Agora, quanto é que você quer?"

Comecei a gritar ainda mais, proclamando minha integridade pessoal e que me recusava a vender a alma à loja da companhia, esse tipo de coisa. Coisas que aprendi em alguns discos antigos da minha mãe. Acho que ela percebeu isso, porque começou a se afastar de mansinho, dizendo que tinha que se aprontar para o encontro com o sr. G. Meu pai lhe lançou um olhar maligno — ele pode fazer isso quase tão bem quanto Grandmère —, depois suspirou e continuou: "Mia, eu darei um donativo de cem dólares diários em seu nome ao

— qual é o nome da coisa? Oh, sim... — Greenpeace, eles poderão salvar quantas baleias quiserem, se você fizer minha mãe feliz, deixando que ela lhe ensine como ser princesa."

Bem...

A coisa mudou de figura. Seria uma coisa se ele me pagasse para eu deixar que meu cabelo fosse quimicamente mudado. Mas doar cem dólares por dia ao Greenpeace? Isso significa US$ 365 mil por ano! Ora, o Greenpeace vai ter que me contratar depois que eu me formar. Até lá, terei doado praticamente um milhão de dólares!

Espere aí, talvez sejam apenas US$ 36,5 mil. Cadê minha calculadora????

Mais Tarde, no Sábado

Bem, eu não sei quem Lilly Moscovitz pensa que é, mas tenho certeza de que sei quem ela não é: minha amiga. Não acho que alguém que era minha amiga pudesse ter sido tão mesquinha como Lilly foi esta noite. Não consigo acreditar. E tudo por causa do meu cabelo!

Acho que poderia entender se ela ficasse com raiva de mim por causa de alguma coisa importante — como deixar de ajudar na gravação do episódio Ho. Quero dizer, eu sou uma espécie de primeira-câmera do *Lilly Tells It Like It Is*. E faço também um monte de trabalho de carpintaria teatral. Quando não posso ir, Shameeka tem que fazer não só seu trabalho, mas também o meu, e ela já é produtora-executiva e responsável pelas locações.

Então acho que poderia entender que Lilly estivesse chateada com o fato de eu não ter ajudado na gravação de hoje. Ela pensa que o Ho-Gate — é assim que está chamando o caso — é a matéria mais importante que já fez. Acho isso meio idiota. Quem é que se importa com cinco centavos, afinal de contas? Mas o que Lilly disse foi: "Vamos quebrar o ciclo do racismo que tem sido marcante nas delicatessen das cinco regiões da cidade."

Tanto faz. Tudo que eu sei é que entrei no apartamento dos Moscovitz hoje à noite, Lilly deu uma espiada no meu cabelo e disse: "Oh, meu Deus, o que foi que aconteceu com você?"

Como se eu estivesse com a cara cheia de gelo e o nariz tivesse ficado preto e caído, como aconteceu com aqueles caras que escalaram o monte Everest.

OK, sei que as pessoas vão ficar apavoradas quando virem meu cabelo. E olhe que o lavei bem antes de vir para cá e tirei todo aquele creme dele. E ainda arranquei toda aquela maquiagem que Paolo botou em mim, vesti meu macaquinho e calcei o tênis de cano alto (quase não dá mais para ver a fórmula da equação do segundo grau). Pensei em tudo mesmo, exceto no cabelo. Eu parecia quase normal. Na verdade, até pensei que estava bonita — para mim, quero dizer.

Mas parece que Lilly não achou nada disso.

Tentei levar numa boa, como se aquilo não tivesse importância. E não tinha, por falar nisso. Não era como se eu tivesse feito implante de seios ou algo parecido.

"Isso mesmo", disse eu, tirando o casaco. "Minha avó me levou no salão daquele tal de Paolo e ele..."

Mas Lilly não me deixou nem terminar. Estava em estado de choque. Continuou: "Seu cabelo está da mesma cor do da Lana Weinberger."

"Bem, eu sei", disse eu.

"O que é que há nos seus *dedos*? Essas unhas são postiças? As da Lana, também!" Olhou pra mim, toda espantada. "Oh, meu Deus, Mia. Você está se transformando em Lana Weinberger!"

Aí eu fiquei mesmo chateada. Quero dizer, em primeiro lugar, *não* estou me transformando em Lana Weinberger. Em segundo, mesmo que esteja, Lilly é aquela que vive sempre dizendo que as pessoas são estúpidas por não verem que não importa a aparência, mas sim o que acontece dentro dela.

Então fiquei ali, na entrada do apartamento dos Moscovitz, que é de mármore preto, enquanto Pavlov pulava em volta de minhas pernas, tão contente por me ver, e eu disse: "Não fui eu. Foi minha avó. Eu tive que..."

"O que é que você quer dizer com eu tive que?" Aquela expressão realmente maldosa apareceu na cara de Lilly. É a mesma expressão que aparece todos os anos quando nosso instrutor de Educação Física diz que temos que correr em volta da reserva do Central Park, no exame do Teste de Aptidão Física do Presidente. Lilly não gosta de correr em lugar nenhum, principalmente em volta da reserva do Central Park (que é muito grande).

"O que é que você é?", perguntou. "Uma pessoa inteiramente passiva? Você é muda ou coisa assim? Incapaz de dizer a palavra não? Sabe, Mia, a gente precisa realmente trabalhar sua positividade. Você parece ter problemas sérios com sua avó. Você não parece ter problema para *me* dizer não. Eu precisei muito de sua ajuda hoje com o episódio Ho e você me deixou na pior. Mas não viu problema em deixar sua avó cortar seu cabelo e pintá-lo de louro..."

OK, apenas se lembre que acabei de passar o dia inteiro ouvindo alguém dizer que eu parecia um horror — pelo menos até Paolo me pegar e me deixar parecida com Lana Weinberger. E nesse momento eu ainda tinha que ouvir que há alguma coisa errada com minha personalidade.

Perdi o controle e disse: "Lilly, cale a boca."

Eu nunca mandei a Lilly calar a boca antes. Nunca. Acho que nunca mandei qualquer pessoa calar a boca. Isso simplesmente não é uma coisa que eu faça. Não sei mesmo o que aconteceu. Talvez tenham sido as unhas. Eu nunca tive unhas antes. Elas me fizeram sentir mais forte. Quero dizer, por que Lilly estava sempre me dizendo o que eu devia fazer?

Infelizmente, no exato momento em que eu estava mandando Lilly calar a boca, Michael apareceu, com uma caixa vazia de cereal na mão e sem camisa.

"Uaaau", disse ele, recuando. Não sei bem se ele disse uaaau e recuou por causa do que eu acabava de dizer ou por causa da minha aparência.

"O quê?" disse Lilly. "*O que* foi que você acabou de me dizer?"

Nesse momento ela parecia mais do que nunca um cachorro pug.

Eu tive vontade de ceder. Mas não fiz isso porque eu sabia que ela tinha razão. Eu tenho mesmo problema para ser positiva.

Então, em vez disso, continuei: "Estou cansada de você me humilhar o tempo todo. Durante o dia todo, minha mãe, meu pai, minha avó e os professores estão me dizendo o que fazer. E não preciso que meus amigos façam isso também comigo."

"Uaaau", repetiu Michael. Desta vez tive certeza de que foi por causa do que eu disse.

"Qual", disse Lilly, apertando os olhos, "é o seu problema?"

Aí eu respondi: "Quer saber? Não tenho nenhum problema. Você é que está com um problema. Parece que você tem um grande problema comigo. Quer saber de uma coisa? Vou resolver seu problema para você. Vou embora. De qualquer jeito, eu nunca quis ajudar você com aquela história estúpida do Ho-Gate. Os Ho são gente fina. Eles não fizeram nada de errado. Não vejo motivo para você pegar no pé deles. E...", continuei enquanto abria a porta, "meu cabelo não é amarelo."

E me mandei. E meio que bati a porta quando saí.

Enquanto esperava o elevador, pensei que Lilly fosse aparecer e me pedir desculpa.

Mas ela não fez isso.

Voltei direto para casa, tomei um banho e me joguei na cama com meu controle remoto e Fat Louie, que é o único que gosta de mim como eu sou agora. Eu estava pensando que Lilly poderia ligar para pedir desculpa, mas até agora não ligou.

Bem, eu não vou pedir desculpa se ela não pedir antes.

E quer saber de uma coisa? Olhei no espelho há um minuto e meu cabelo não parece tão feio assim.

Depois de Meia-noite, Domingo, 12 de Outubro

Ela ainda não telefonou.

Domingo, 12 de Outubro

Oh, meu Deus, estou tão envergonhada. Eu queria mesmo era sumir. Vocês não vão nunca acreditar no que aconteceu.

Saí do quarto para pegar o café da manhã e vi minha mãe e o sr. Gianini sentados na mesa, comendo panqueca!

E o sr. Gianini estava usando camiseta e samba-canção!!! E mamãe estava de quimono!!! Quando me viu, ela se engasgou com o suco de laranja. Depois, disse: "Mia, o que é que você está fazendo aqui? Eu pensava que você ia passar a noite na casa de Lilly."

Que vontade tive de ter feito isso. Que vontade tive de não ter resolvido ser positiva na noite passada. Podia ter ficado na casa dos Moscovitz e nunca ter visto o sr. Gianini usando cueca. Eu poderia ter levado uma vida plena e feliz sem nunca ter visto aquilo.

Isso sem contar ele ter me visto em minha camisola vermelha de flanela.

Como é que eu posso ir a uma aula de revisão agora?

Isto é tão horrível. Eu gostaria de poder ligar para Lilly, mas acho que nós estamos brigadas.

Mais Tarde, no Domingo

Oh, tudo bem. De acordo com minha mãe, que acaba de entrar no meu quarto, o sr. Gianini passou a noite no sofá porque o trem do metrô que ele costuma tomar para voltar ao seu apartamento no Bronx descarrilou e a linha ia ficar parada durante horas, então ela disse a ele para simplesmente ficar ali.

Se eu ainda fosse amiga de Lilly, ela provavelmente diria que minha mãe estava mentindo para compensar o fato de ter traumatizado minha impressão dela como pessoa estritamente maternal e, portanto, não sexual. É isso o que Lilly sempre diz quando a mãe de alguém passa a noite com um cara em casa e depois mente sobre o assunto.

Mas eu prefiro acreditar na mentira da minha mãe. A única maneira de eu ser aprovada em álgebra é acreditando na mentira da mamãe, porque eu nunca poderia ficar sentada ali na classe e me concentrar em polinômios, sabendo que o cara na minha frente não só enfiou a língua na boca da minha mãe, mas provavelmente também a viu nua.

Por que todas essas coisas ruins estão me acontecendo? Eu acho que, para variar, já era hora de me acontecer alguma coisa boa.

Depois de mamãe ter entrado no quarto e mentido para mim, botei minha roupa e fui à cozinha fazer meu café. Tive que ir, porque mamãe não ia trazer o café na minha cama, como pedi a ela. Na verdade, ela disse: "Ei, espere aí, quem você pensa que é? A princesa de Genovia?"

O que, eu acho, ela pensa que é absurdamente engraçado, mas na verdade não é.

Quando ela saiu do quarto, o sr. Gianini já tinha se vestido. Ele estava tentando parecer bem-humorado a respeito do que havia acontecido, que é a única maneira como uma pessoa pode reagir nesse caso, acho.

No início, não me senti muito bem-humorada. Mas depois o sr. G começou a falar sobre como seria ver de pijama certas pessoas da Albert Einstein. Como a diretora Gupta. O sr. G acha que ela provavelmente vai dormir com uma camisa de futebol, combinando com a calça do uniforme de ginástica do marido. Eu comecei a rir, pensando na diretora Gupta usando calça de uniforme de ginástica. Eu disse que apostava que a sra. Hill usava um negligê, um daqueles todo enfeitado com penas e coisas parecidas. O sr. G, porém, disse que a sra. Hill parecia mais de flanela do que de penas. Como é que ele sabe disso? Ele saía também com a sra. Hill? Para um cara chato, com tantas canetas no bolso da camisa, ele certamente circula à beça.

Depois do café, mamãe e o sr. Gianini tentaram me convencer a ir com eles ao Central Park, porque fazia um dia bonito e tudo mais, mas eu disse que tinha muito dever de casa para fazer, o que não era uma mentira muito grande. Eu tinha mesmo dever de casa — o sr. G devia saber disso —, mas não muito. Eu apenas não queria ir passear com um casal. Parecido com quando Shameeka começou a namorar com Aaron Ben-Simon na sétima série e queria que a gente fosse com eles ao cinema, porque o pai dela não deixava que ela fosse a lugar nenhum sozinha com um cara (mesmo um cara totalmente inofensivo como Aaron Ben-Simon, que tem um pescoço da grossura de meu braço), mas quando fomos com ela, ela praticamente nos ignorou, o que eu acho que é a lógica da situação. Nas duas semanas em que saíram juntos, a gente não conseguia conversar com Shameeka, porque ela só conversava sobre Aaron.

Não que mamãe não consiga fazer nada além de falar sobre o sr. Gianini. Ela não é assim, absolutamente. Mas eu tive a impressão de que, se fosse ao Central Park, poderia ter que ver uns beijos. Não que haja alguma coisa de errado com um beijo, como na TV. Mas, quando é com a nossa mãe e nosso professor de álgebra...

Vocês entendem o que estou querendo dizer, certo?

RAZÕES PARA FAZER AS PAZES COM LILLY

1. Nós somos melhores amigas desde o jardim de infância.
2. Uma de nós tem que ser a mais nobre e dar o primeiro passo.
3. Ela me faz rir.
4. Com quem mais posso almoçar na escola?
5. Sinto falta dela.

RAZÕES PARA NÃO FAZER AS PAZES COM LILLY

1. Ela está sempre me dando ordens.
2. Ela pensa que sabe tudo.
3. Foi ela quem começou isso, então é ela quem deve pedir desculpas.
4. Eu nunca conseguirei autoatualização se ceder sempre em minhas convicções.
5. E se eu pedir desculpas e MESMO ASSIM ela não quiser falar comigo?

Ainda Mais Tarde no Domingo

Acabei de ligar o computador para ver se acho alguma coisa sobre o Afeganistão na Internet (tenho que fazer uma redação para Civilizações Mundiais sobre um acontecimento recente) e notei que alguém estava me mandando uma mensagem urgente. Eu raramente recebo mensagens urgentes, então fiquei muito interessada.

Mas depois vi de quem era: CracKing.

Michael Moscovitz? O que é que ele pode querer?

Vejam só o que ele escreveu:

CracKing: OI, THERMOPOLIS. O QUE FOI QUE ACONTECEU COM VOCÊ NA NOITE PASSADA? PARECE QUE VOCÊ FICOU DOIDA OU COISA ASSIM.

Eu? Doida???

FtLouie: PARA SUA INFORMAÇÃO, NÃO FIQUEI DOIDA. EU SIMPLESMENTE ME CANSEI DE SUA IRMÃ SEMPRE ME DAR ORDENS. NÃO QUE ISSO SEJA DE SUA CONTA.

CracKing: POR QUE VOCÊ ESTÁ FICANDO TÃO ESNOBE? CLARO QUE É DE MINHA CONTA. EU TENHO QUE MORAR COM ELA, NÃO TENHO?

FtLouie: POR QUÊ? ELA ESTÁ FALANDO A MEU RESPEITO?

CracKing: PODE-SE DIZER QUE SIM.

Não posso acreditar que ela esteve falando a meu respeito. E pode ter certeza que ela não disse nada de bom.

FtLouie: O QUE É QUE ELA ESTÁ DIZENDO?

CracKing: EU PENSAVA QUE ISSO NÃO ERA DA MINHA CONTA.

Como eu sou feliz por não ter irmão.

FtLouie: NÃO É. O QUE É QUE ELA ESTÁ DIZENDO?

CracKing: QUE NÃO SABE O QUE ESTÁ ACONTECENDO COM VOCÊ NESTES DIAS, MAS DESDE QUE SEU PAI VEIO VISITAR VOCÊ, VOCÊ VEM SE COMPORTANDO FEITO DOIDA.

FtLouie: EU? DOIDA? O QUE É QUE VOCÊ ACHA DELA? ELA É QUE VIVE SEMPRE ME CRITICANDO. ESTOU DE SACO CHEIO DISSO! SE ELA QUER SER MINHA AMIGA, POR QUE NÃO PODE ME ACEITAR COMO EU SOU?

CracKing: VOCÊ NÃO PRECISA GRITAR.

FtLouie: EU NÃO ESTOU GRITANDO!!!

CracKing: VOCÊ ESTÁ USANDO PONTUAÇÃO EM EXCESSO E, ON-LINE, ISSO É COMO GRITAR. ALÉM DISSO, ELA NÃO É A ÚNICA QUE CRITICA VOCÊ. ELA DIZ QUE VOCÊ NÃO A APOIA NO BOICOTE À HO'S DELI.

FtLouie: BEM, ELA ESTÁ CERTA. NÃO VOU APOIAR. ISSO É UMA COISA ESTÚPIDA. VOCÊ NÃO ACHA QUE É?

CracKing: CLARO QUE É. VOCÊ CONTINUA LEVANDO PAU EM ÁLGEBRA?

FtLouie: ACHO QUE SIM, MAS, CONSIDERANDO QUE O SR. G DORMIU AQUI NA NOITE PASSADA, EU DEVO PASSAR COM UM CINCO. POR QUÊ?

CracKing: O QUÊ? O SR. G DORMIU AÍ NA NOITE PASSADA? NA SUA CASA? COMO FOI ISSO?

Agora, por que eu disse isso a ele? Amanhã de manhã toda a escola vai saber. Talvez o sr. G seja mandado embora! Não sei se professores têm permissão para namorar as mães de suas alunas. Por que contei isso ao Michael?

FtLouie: FOI HORRÍVEL, MAS DEPOIS ELE BRINCOU SOBRE O ASSUNTO E DEIXOU TUDO CERTO. NÃO SEI. EU DEVIA ESTAR MAIS CHATEADA, MAS MINHA MÃE ESTAVA TÃO FELIZ. É DIFÍCIL.

CracKing: SUA MÃE PODERIA ARRANJAR COISA MUITO PIOR DO QUE O SR. G. IMAGINE SE ELA ESTIVESSE NAMORANDO COM O SR. STUART.

O sr. Stuart dá aulas de Saúde. Ele pensa que é um presente de Deus para as mulheres. Não tive aula com ele ainda, já que a gente só estuda Saúde em uma série mais adiantada, mas já sei que a gente não deve nunca se aproximar da mesa dele porque, se fizer isso, ele vai estender a mão e acariciar os ombros da gente, como se estivesse fazendo massagem, mas todo mundo diz que ele está só querendo ver se a gente está usando sutiã.

Se minha mãe algum dia sair com o sr. Stuart, eu me mudo para o Afeganistão.

FtLouie: HA, HA, HA. POR QUE VOCÊ QUER SABER SE ESTOU LEVANDO PAU EM ÁLGEBRA?

CracKing: OH, PORQUE JÁ ACABEI A EDIÇÃO DESTE MÊS DO *CRACKHEAD*, E PENSEI QUE, SE VOCÊ QUISESSE, EU PODERIA ENSINAR A VOCÊ DURANTE A AULA DE S & T.

Michael Moscovitz se oferecendo para fazer alguma coisa por mim? Não pude acreditar nisso. Quase caí da cadeira do computador.

FtLouie: UAU, ISSO SERIA O MÁXIMO! OBRIGADA!

CracKing: DE NADA. AGUENTA AÍ, THERMOPOLIS.

Depois, ele desligou.

Vocês podem acreditar numa coisa dessas? O que foi que deu nele?

Eu, definitivamente, devo brigar mais com Lilly.

Ainda Mais Tarde, no Domingo

Justamente quando eu pensava que as coisas pudessem estar melhorando um pouco, meu pai telefonou. Disse que ia mandar Lars me apanhar aqui, para que eu, ele e Grandmère jantássemos juntos no Plaza.

Notem que o convite não incluiu mamãe.

Mas acho que tudo bem, já que mamãe, de qualquer jeito, não queria ir a lugar nenhum. Quando eu disse que ia, ela ficou até alegre, para dizer a verdade.

"Oh, isso é bom", disse ela. "Eu vou ficar aqui, pedir um prato de comida tailandesa e assistir ao *Sixty Minutes*.

Ela está realmente alegre desde que voltou do Central Park. Contou que ela e o sr. G passearam numa daquelas charretes. Fiquei chocada. Aqueles cocheiros das charretes não tratam bem os cavalos, de jeito nenhum. Há sempre algum velho cavalo de charrete desmaiando por falta d'água. Eu sempre jurei nunca passear numa daquelas charretes. Pelo menos, não até que eles concedam aos cavalos alguns de seus direitos e eu sempre pensei que mamãe concordava comigo.

O amor pode fazer coisas estranhas com as pessoas.

Desta vez, o Plaza não foi tão ruim. Acho que estou me acostumando. Os porteiros sabem quem eu sou — ou pelo menos sabem quem Lars é —, então não criam mais caso comigo. Grandmère e papai estavam meio mal-humorados. Não sei por quê.

Acho que não estão sendo pagos para passar tempo um com o outro, como eu.

O jantar foi um saco. Grandmère disse que garfo eu devo usar com o que e por quê. Foram servidos muitos pratos, a maioria de carne. Mas um deles era de peixe, então comi isso, mais a sobremesa, que era uma bonita torre de chocolate. Grandmère tentou me dizer que quando eu representar Genovia em uma função de Estado, vou ter que comer o que quer que botem na minha frente ou insultarei meus anfitriões e, possivelmente, provocarei um incidente internacional. Mas eu disse que pediria a meus assessores que explicassem antes que não como carne, para que eles nem me servissem aquilo.

Grandmère pareceu meio aborrecida. Acho que ela nunca pensou que eu pudesse ter visto aquele filme feito para a TV sobre a Princesa Diana. Eu sei tudo sobre como evitar comer certas coisas em banquetes oficiais e também como vomitar depois o que a gente comeu (só que eu nunca faço isso).

Durante todo o jantar, papai continuou a me fazer perguntas esquisitas sobre mamãe. Como, por exemplo, se eu me sentia mal com o relacionamento dela com o sr. Gianini e se eu queria que ele dissesse alguma coisa a ela. Acho que ele estava tentando fazer com que eu dissesse a ele se era sério ou não o caso entre os dois — o sr. G e mamãe, quero dizer.

Bem, eu sei que é muito sério, já que ele está dormindo lá em casa. Mamãe só deixa que durmam lá em casa caras de quem ela realmente gosta. Até agora, incluindo o sr. G, só houve três caras nos últimos 14 anos: Wolfgang, que ela descobriu que era gay, aquele cara, o Tim, que a gente descobriu que era republicano, e agora meu professor de álgebra. Isso não é realmente muita gente. É mais ou menos um cara a cada quatro anos.

Ou alguma coisa assim.

Mas, claro, eu não poderia dizer a papai que o sr. G havia passado a noite lá em casa, porque sei que ele teria uma embolia. Ele é uma pessoa tão chauvinista — ele leva namoradas para Miragnac todos os verões, às vezes uma nova a cada duas semanas! — mas espera que mamãe permaneça tão pura como a neve.

Se Lilly ainda estivesse conversando comigo, sei que ela diria que todos os homens são hipócritas.

Uma parte de mim queria contar a papai sobre o sr. G, só para ele deixar de ser tão convencido. Mas também não queria dar a minha avó mais munição contra mamãe — Grandmère diz que mamãe é "avoada" — então simplesmente fingi que não sabia de nada sobre o caso.

Grandmère disse que, amanhã, vamos trabalhar meu vocabulário. Diz que meu francês é atroz, mas, o meu inglês, ainda pior. Disse que, se me ouvir dizer novamente "Tanto faz", vai lavar minha boca com sabão.

Eu disse: "Tanto faz, Grandmère" e ela me lançou aquele olhar. Eu não estava querendo dar uma de engraçada. Eu apenas esqueci.

Até agora, consegui US$ 200 para o Greenpeace. Eu vou provavelmente entrar na história como a moça que salvou todas as baleias.

Quando voltei para casa, notei que havia dois pratos vazios de comida tailandesa. E também dois pares de pauzinhos pra comer e duas garrafas de Heineken na caixa de produtos recicláveis. Perguntei a mamãe se ela havia convidado o sr. G para jantar — meu Deus, ela já havia passado o dia inteiro com ele! — e ela disse: "Oh, não, querida. Eu estava apenas com muita fome."

Isso dava duas mentiras que ela tinha me contado num único dia. Essa coisa com o sr. G deve ser muito séria.

Lilly ainda não telefonou. Estou começando a pensar que talvez eu deva ligar para ela. Mas o que eu ia dizer? Eu não fiz nada. Quero dizer, sei que disse a ela para calar a boca, mas isso foi apenas porque ela me disse que eu estava me transformando em Lana Weinberger. Eu tinha todo direito de dizer a ela que calasse a boca.

Tinha, mesmo? Talvez ninguém tenha o direito de dizer a ninguém que cale a boca. Talvez seja assim que começam as guerras, porque alguém diz a alguém para calar a boca e depois ninguém pede desculpa.

Se isso continuar, com quem é que vou almoçar amanhã na escola?

Segunda-feira, 13 de Outubro, Álgebra

Quando Lars parou em frente ao prédio de Lilly para levá-la à escola, o porteiro disse que ela já havia saído. Por falar em guardar rancor.

Esta é a briga mais demorada que nós já tivemos.

Quando entrei na escola, a primeira coisa que fizeram foi esfregar um abaixo-assinado na minha cara.

Boicote à Ho's Deli!

Assine embaixo e tome uma atitude contra o racismo!

Eu disse que não assinava. Boris, o cara que estava com o papel na mão, disse que eu era ingrata e que no seu país natal vozes erguidas em protesto haviam sido caladas durante anos pelo governo e que eu devia me sentir feliz por viver em um lugar onde podia assinar um abaixo-assinado e não viver com medo de que a polícia secreta viesse me pegar.

Eu respondi a Boris que, na América, ninguém enfia o suéter dentro da calça.

Uma coisa a gente tem que dizer a favor de Lilly. Ela age rápido. Na escola inteira, cartazes pediam o boicote da Ho's Deli.

Mas há outra coisa que a gente tem que dizer sobre Lilly: quando ela fica com raiva, continua com raiva. Ela não quis mesmo falar comigo.

Eu gostaria que o sr. G parasse de se preocupar comigo. Quem se importa, afinal de contas, com números inteiros?

Operações com números reais: Negativos ou opostos — número em lados opostos do zero mas com a mesma distância do zero na progressão numérica são chamados de negativos ou opostos.

O que fazer durante a aula de álgebra

O que fazer durante a aula de álgebra!
As possibilidades são ilimitadas:
Desenhar, bocejar
e jogar xadrez portátil.

Mas também cochilar, sonhar
e sentir-se confusa.
E cantarolar, fingir dedilhar um violão
e parecer preocupada.

Olhar fixamente para o relógio.
Cantar baixinho uma pequena canção.
Tentei praticamente tudo
para passar o tempo.

MAS NADA FUNCIONA!!!!!

Mais Tarde na Segunda-feira, Francês

Por isso, mesmo que Lilly e eu não estivéssemos brigadas, eu não poderia ter me sentado ao lado dela hoje no almoço. Ela se tornou a rainha de uma cause célèbre. Todas aquelas pessoas formavam uma multidão em volta da mesa onde ela, eu, Shameeka e Ling Su costumamos comer os bolinhos que compramos no Big Wong. *Boris Pelkowski* estava sentado no lugar onde eu geralmente me sento.

Lilly devia estar nas nuvens. Ela sempre quis ser adorada por um gênio musical.

Então eu estava ali em pé, como uma idiota completa, com minha bandeja idiota cheia de uma salada idiota, que era a única opção vegetariana do dia, porque haviam acabado as latas de Sterno de feijão e cereais, e eu só tinha uma pergunta: Com quem vou me sentar? Na nossa lanchonete só há dez mesas, já que o almoço é em esquema de rodízio de grupos: a mesa onde me sento com Lilly, a mesa dos machões, a mesa da chefe da torcida, a mesa dos garotos ricos, a mesa da turma do hip hop, a mesa dos drogados, a mesa dos malucos por teatro, a mesa da Sociedade Nacional dos Garotos que Não Colam, a mesa dos estudantes estrangeiros, e a mesa onde Tina Hakim Baba se senta todos os dias com seu segurança.

Eu não podia me sentar com os machões ou o pessoal da torcida organizada, porque não sou nenhuma das duas coisas. Nem com as garotas ricas porque não tenho telefone celular ou corretor de ações. Não gosto de hip hop nem de drogas. Não tive um papel na última peça de teatro e, com meu último zero F em álgebra, a chance de fazer parte da Sociedade Nacional dos Garotos que Não Colam é praticamente nula, e não entendo o que os estudantes estrangeiros dizem, já que não há nenhum francês entre eles.

Olhei para Tina Hakim Baba. Tinha um prato de salada na frente dela, exatamente como eu. Só que ela come salada porque tem problema de peso e não por ser vegetariana. Estava lendo um romance, com uma foto na capa de um garotão com os braços em volta de uma garota. A garota tinha longos cabelos louros e seios muito grandes para uma pessoa com coxas tão finas. Ela parecia exatamente o que minha avó quer que eu pareça.

Fui até lá e coloquei minha bandeja na frente de Tina Hakim Baba.

"Posso sentar aqui?", perguntei.

Tina tirou os olhos do livro. Tinha no rosto uma expressão de choque total. Olhou para mim e, em seguida, para o segurança, um homem alto, moreno, usando terno preto. Ele usava óculos de sol, ainda que a gente estivesse dentro de um prédio. Acho que Lars poderia ter dado conta dele se a coisa acabasse numa briga entre os dois.

Quando Tina olhou para o segurança, ele olhou para mim — pelo menos, acho que olhou, mas era difícil saber por causa daqueles óculos — e inclinou a cabeça.

Tina me dirigiu um grande sorriso. "Por favor", disse, pondo o livro de lado. "Sente-se aqui comigo."

Sentei. Fiquei meio sem graça, vendo Tina sorrir daquele jeito. Como se eu devesse ter pedido antes para me sentar ao lado dela. Mas eu achava ela muito anormal por ir para a escola de limusine e ter um segurança.

Agora não acho mais que ela seja tão anormal assim.

Ela e eu comemos nossas saladas e comentamos como a comida da escola é ruim. Ela me falou da dieta que faz. Por ordem da mãe. Ela quer perder 10 kg até o dia da Dança da Diversidade Cultural. Mas a Dança da Diversidade Cultural vai acontecer neste sábado, então não sei como a dieta vai conseguir isso. Perguntei a ela se já tinha par para a dança, ela deu umas risadinhas e disse que sim. O par dela vai ser um cara da Trinity, outra escola particular de Manhattan. O nome dele é Dave Farouq El-Abar.

Alô? Isso não é justo. Até mesmo Tina Hakim Baba, cujo pai não deixa que ela ande duas quadras até a escola, foi convidada por alguém.

Bem, ela tem seios, então acho que esse foi o motivo.

Tina é bem bonitinha. Quando ela se levantou para ir até a fila pegar outra soda dietética, o segurança foi com ela. Se Lars começasse a dar uma de sombra comigo, eu me mataria... Eu li a quarta capa do livro dela. O título do livro é *Eu Acho Que Meu Nome É Amanda*, e é sobre uma garota que acorda de um coma e não consegue lembrar quem é. Um garoto lindo vai visitá-la no hospital e diz que o nome dela é Amanda e que é o namorado dela. Ela passa o resto do livro tentando descobrir se ele está mentindo ou não.

Eu tenho tanta certeza! Se algum garotão bonito lhe diz que

é seu namorado, por que você simplesmente não acredita nele? Algumas garotas não percebem quando têm um prato feito nas mãos.

Enquanto eu estava lendo a quarta capa do livro, uma sombra caiu sobre o mesmo, levantei os olhos e lá estava Lana Weinberger. Devia ser dia de jogo, porque ela usava seu uniforme de chefe de torcida, uma minissaia plissada verde e branco e um suéter branco justo com um A gigantesco estampado na frente. Acho que ela põe seus absorventes dentro do sutiã quando não está usando. Não entendo como o peito dela pode ser tão empinado.

"Lindo cabelo, Amelia", disse com aquela voz enjoada. "Com quem é que você quer se parecer? Com a Tank Girl?"

Olhei para trás dela. Josh Richter estava lá, com alguns de seus amigos fortões e idiotas. Eles não estavam dando a mínima atenção a mim e a Lana. Estavam conversando sobre uma festa em que estiveram no fim de semana. Estavam todos de ressaca por terem bebido cerveja demais.

Eu só queria saber é se o treinador deles sabe disso.

"Por falar nisso, qual é o nome que você dá a essa cor?", quis saber Lana. Tocou minha cabeça. "Amarelo pus?"

Tina Hakim Baba e o segurança voltaram enquanto Lana estava ali me atormentando. Além da soda dietética, Tina havia comprado uma casquinha de sorvete Nutty Royale, que me deu de presente. Achei isso muito legal da parte dela, já que eu raramente conversava com ela.

Mas Lana não percebeu a cordialidade desse gesto. Em vez disso, perguntou inocentemente: "Oh, você comprou sorvete para

Amelia? Seu pai lhe deu hoje uns cem dólares extras para você comprar uma nova amiga?"

Os olhos escuros de Tina se encheram de mágoa. O segurança notou isso e abriu a boca.

Então, aconteceu uma coisa estranha. Eu continuava sentada ali, vendo os olhos de Tina Hakim Baba se encherem de lágrimas e, sem perceber, peguei meu Nutty Royale e enfiei com toda força no peito de Lana.

Lana olhou para o creme de baunilha, a casquinha de chocolate e o amendoim se colando no seu peito. Josh Richter e os outros fortões pararam de conversar e também olharam para o peito de Lana. O barulho na lanchonete caiu para o nível mais baixo que já ouvi em toda minha vida. Todo mundo estava olhando para a casquinha de sorvete colada no peito de Lana. O silêncio era tão profundo que até ouvi Boris respirando através da sua máscara contra poeira.

Aí Lana começou a gritar.

"Sua... sua..." Acho que ela não conseguiu pensar numa palavra suficientemente pesada para mim. "Sua... sua... Olhe só o que você fez! Olhe o que você fez com meu suéter!"

Levantei e agarrei minha bandeja. "Vamos, Tina", disse eu. "Vamos para um lugar um pouco mais tranquilo."

Tina, mantendo os grandes olhos castanhos na casquinha grudada no A no peito de Lana, pegou a bandeja dela e me seguiu. O segurança seguiu Tina. Posso jurar que ele estava rindo.

Quando Tina e eu passamos pela mesa onde Lilly e eu geralmente nos sentávamos, vi Lilly me observando, boquiaberta. Ela, obviamente, tinha presenciado toda a cena.

Bem, acho que ela vai ter que mudar o diagnóstico que faz de mim: eu não sou conformada. Não quando não quero ser.

Não tenho certeza, mas quando Tina, o segurança e eu saímos da lanchonete, acho que ouvi alguns aplausos vindo da mesa dos *nerds*.

Acho que a autoatualização deve estar bem perto para mim.

Mais Tarde, na Segunda-feira

Oh, meu Deus. Estou com problemas até o pescoço. Nunca uma coisa dessas me aconteceu!

Estou na sala da diretora!

É isso mesmo. Fui mandada à sala da diretora por jogar sorvete em Lana Weinberger.

Eu devia ter imaginado que ela ia me dedurar. Ela é uma grande chorona.

Estou um pouco assustada. Eu nunca quebrei uma regra de conduta estudantil. Sempre fui uma boa menina. Quando o monitor chegou à nossa aula de S & T com um passe de trânsito livre pelo corredor, não pensei, nem por um minuto, que fosse para mim. Eu estava sentada com Michael Moscovitz, que me mostrava que eu fazia subtrações de um jeito totalmente errado. Ele disse que o problema é que não escrevo os números com bastante clareza quando estou copiando o problema. E também que não sei onde boto minhas anotações e que uso sempre o primeiro caderno que encontro. Ele disse que devo manter num caderno só todas as minhas anotações de álgebra.

Além do mais, que eu pareço ter problemas para me concentrar.

Mas eu não conseguia me concentrar porque nunca tinha sentado tão perto de um garoto! Quero dizer, sei que era apenas Michael Moscovitz, e que o vejo o tempo todo, e que ele nunca gostou de mim porque sou caloura e ele é veterano e, de quebra, sou a melhor amiga de sua irmã mais nova — pelo menos, era.

Mas ele ainda é um rapaz, um rapaz *atraente*, mesmo que seja irmão de Lilly. Era muito difícil prestar atenção à subtração, quando podia sentir o cheiro agradável de seu corpo limpinho. Além do mais, de vez em quando ele colocava a mão em cima da minha, pegava meu lápis e dizia: "Não. *Assim*, Mia."

Claro, eu também estava com problemas para me concentrar porque achava que Lilly estava nos olhando. Não estava, claro. Ela está combatendo as forças malignas do racismo em nosso bairro e não tem tempo para pessoas insignificantes como eu. Estava sentada naquela grande mesa, cercada de todos os seus colaboradores, planejando o movimento seguinte na Ofensiva Ho. Ela até deixou Boris sair do almoxarifado para ajudar.

Dão licença para eu dizer que ele estava louco por ela? Como é que Lilly aguenta aquele braço magro de tocador de violino em volta da cadeira dela, não consigo imaginar. E ele ainda não tirou o suéter de dentro da calça.

Então eu realmente não devia ter me preocupado com a possibilidade de que alguém notasse Michael e a mim. Quero dizer, com certeza ele não estava com o braço no encosto de minha cadeira, embora, uma vez, por baixo da mesa, o joelho dele tenha tocado o meu. Eu quase morri com aquela sensação.

Depois chegou aquele passe estúpido com meu nome nele.

Será que vou ser expulsa? Talvez, se eu for expulsa, possa estudar em outra escola, onde ninguém vai saber que meu cabelo tinha outra cor e que estas unhas não são de verdade. Isso poderia até ser bom.

DE AGORA EM DIANTE EU

1. Pensarei antes de fazer alguma coisa.
2. Tentarei ser bem-educada, por mais que seja provocada a me comportar de outra maneira.
3. Direi a verdade, exceto quando isso ferir os sentimentos de alguém.
4. Ficarei tão longe quanto possível de Lana Weinberger.

Droga! A diretora Gupta está pronta para me receber agora.

Noite de Segunda-feira

Bem, eu não sei o que vou fazer agora. Vou ficar de castigo depois das aulas durante uma semana, *mais* revisão de matemática com o sr. G, *mais* lições de princesa com Grandmère.

Meu pai está furioso. Diz que vai processar a escola. Diz que ninguém pode botar sua filha de castigo por defender os fracos. Eu disse a ele que a diretora Gupta pode. Ela pode fazer qualquer coisa. Ela é a diretora.

Não posso dizer que a culpo realmente. Quero dizer, eu nem disse que estava arrependida ou coisa assim. A diretora Gupta é uma mulher legal, mas o que ela poderia fazer? Eu confessei que tinha feito aquilo. Ela me disse que eu teria que pedir desculpa a Lana e pagar a lavagem do suéter dela na tinturaria. Eu disse que pagava pela lavagem, mas não pedia desculpa. A diretora Gupta olhou para mim por cima dos seus óculos bifocais e perguntou: "Como disse, Mia?"

Repeti que não ia pedir desculpa. Meu coração batia loucamente. Eu não queria irritar ninguém, especialmente a diretora Gupta, que dá um medo danado na gente quando quer. Tentei imaginá-la usando a calça de ginástica do marido, mas não funcionou. Ela ainda me assustava.

Mas não vou pedir desculpa a Lana. Não vou.

Mas a diretora Gupta não parecia zangada. Parecia preocupada. Acho que é assim que educadoras devem parecer. Vocês sabem, preocupadas. Preocupadas com a gente. Ela continuou: "Mia, tenho que dizer, quando Lana entrou para se queixar, fiquei muito surpresa. Geralmente, quem tenho que chamar aqui é Lilly Moscovitz. Nunca esperei que ia ter que chamar você. Não por razões disciplinares. Razões de estudo talvez. Sei que você não está indo bem em álgebra. Mas nunca achei que você era um problema disciplinar. Acho que tenho realmente que lhe perguntar, Mia... está tudo bem com você?"

Durante um minuto, eu simplesmente olhei para ela.

Está tudo bem com você? Está tudo bem com você?

Hummm, espere um pouco, deixe eu pensar... minha mãe está namorando com meu professor de álgebra, uma matéria em que por acaso estou me dando mal, minha melhor amiga me odeia, tenho 14 anos e ninguém nunca pediu para sair comigo, não tenho seios e, oh, acabo de descobrir que sou a princesa de Genovia.

"Oh, com certeza", respondi à diretora Gupta, "está tudo bem."

"Você tem certeza, Mia? Porque não posso deixar de pensar se isso não é consequência de alguns problemas que você possa ter... talvez em casa?"

Quem ela pensava que eu era, afinal? Lana Choronaberger? Como se eu fosse mesmo contar a ela meus problemas! Isso mesmo, diretora Gupta. Além de todos esses problemas, minha avó está na cidade e meu pai está me pagando US$ 100 por dia para eu tomar lições de como ser princesa. Oh, e neste fim de semana, encontrei o sr. Gianini em minha cozinha e tudo que ele usava era uma cueca samba-canção. A senhora quer saber de mais alguma coisa?

"Mia", disse a diretora Gupta, "quero que saiba que você é uma pessoa muito especial. Você tem muitas qualidades maravilhosas. Não há razão para você se sentir ameaçada por Lana Weinberger. Nenhuma, absolutamente."

Oh, OK. Só porque ela é a mais bonita e mais popular garota da turma e está namorando com o rapaz mais bonito e mais popular da turma, você tem razão, diretora Gupta. Não há razão alguma para eu me sentir ameaçada por ela. Especialmente porque ela me rebaixa sempre que pode e tenta me humilhar em público. Ameaçada? Eu? De jeito nenhum.

"Sabe de uma coisa, Mia", continuou a diretora Gupta, "aposto que se você se desse um tempo para conhecer melhor Lana ia descobrir que ela é realmente uma moça muito boa. Uma garota igualzinha a você."

Certo. Exatamente igual a mim.

Eu fiquei tão transtornada que contei tudo isso a Grandmère em nossa lição de vocabulário. Ela se mostrou surpreendentemente penalizada.

"Quando eu tinha sua idade", disse Grandmère, "havia em minha escola uma garota exatamente igual a essa Lana. O nome dela era Genevieve. Ela se sentava atrás de mim na aula de geografia. Genevieve pegava a ponta da minha trança e botava dentro do tinteiro dela, de modo que, quando me levantava, sujava todo o vestido. A professora, porém, não acreditava nunca que Genevieve fizesse isso de propósito."

"Verdade?" Fiquei um pouco impressionada. Essa Genevieve tinha coragem. Eu nunca conheci ninguém que tentasse fazer uma coisa dessas com minha avó. "E o que foi que você fez?"

Grandmère soltou aquele riso maldoso. "Oh, nada."

Não havia como ela não ter feito nada com Genevieve. Não com um riso daquele. Mas por mais que tenha enchido o saco dela, Grandmère não disse o que fez para dar o troco a Genevieve. Estou quase pensando que ela talvez a tenha matado.

E daí? Isso pode acontecer.

Mas acho que não devia ter enchido tanto o saco de Grandmère, porque, para me calar, ela me submeteu a um teste! Não estou brincando!

E foi mesmo difícil. Eu prendi o teste aqui com um grampeador, já que ganhei quase a nota máxima. Grandmère diz que eu progredi muito desde que a gente começou.

O Teste de Grandmère

Em um restaurante, o que a gente faz com o guardanapo quando se levanta para ir ao banheiro?

Se for um restaurante quatro estrelas, entregue-o ao garçom que vem correndo para ajudá-la a afastar a cadeira. Se for um lugar comum e nenhum garçom vier correndo, deixe o guardanapo na cadeira vazia.

Em que circunstâncias é aceitável passar batom em público?

Nunca.

Quais são as características do capitalismo?

Propriedade privada dos meios de produção e distribuição e troca de bens baseada nas operações do mercado.

Qual a resposta apropriada ao homem que diz que nos ama?

Obrigada. Você é muito gentil.

O que Marx considerava a contradição do capitalismo?

O valor de qualquer bem é determinado pelo volume de trabalho necessário para produzi-lo. Ao negar aos trabalhadores o valor do que eles produziram, os capitalistas minam seu próprio sistema econômico.

Sapatos brancos são inaceitáveis...

Em enterros, depois do Dia do Trabalho, antes do Dia dos Mortos na Guerra e em qualquer lugar onde possa haver cavalos.

Descreva uma oligarquia.

Pequeno grupo que exerce controle para fins geralmente corruptos.

Descreva um Sidecar.

1/3 de suco de limão, 1/3 de Cointreau e 1/3 de conhaque bem batidos com gelo e filtrados antes de servir.

A única questão que errei foi sobre o que dizer a um homem que diz que nos ama. Parece que a gente não deve dizer obrigada.

Não, claro que isso jamais vai me acontecer. Mas Grandmère disse que talvez tenha uma surpresa algum dia.

Como eu desejo isso!

Terça-feira, 14 de Outubro, Sala de Frequência

Nada de Lilly de novo esta manhã. Não que eu esperasse que isso acontecesse. Mas, ainda assim, fiz Lars parar no prédio dela, apenas na hipótese de ela querer ser novamente minha amiga. Quero dizer, ela podia ter visto como eu fui positiva com Lana e chegado à conclusão de que era errado me criticar tanto.

Mas acho que não.

O engraçado foi que, quando Lars me deixou na porta da escola, o motorista de Tina Hakim Baba também estava deixando ela. A gente se cumprimentou de longe e entramos juntas na escola, o segurança dela logo atrás. Tina disse que queria me agradecer pelo que eu fiz ontem. Disse que contou o caso aos pais e que eles querem que eu vá jantar na casa deles na sexta-feira à noite.

"E talvez", perguntou Tina, muito tímida, "você possa passar a noite lá, se quiser."

Eu disse "OK". Eu disse isso principalmente porque sinto pena de Tina, já que ela não tem nenhuma outra amiga, porque parece que todo mundo pensa que ela é muito esquisita, com o segurança e tudo mais. E eu disse isso também porque ela tem uma fonte em casa, exatamente igual à do Donald Trump, e eu queria saber se isso era verdade.

E eu acho que gostava dela. Ela é boazinha comigo.

É bom ter alguém que é bonzinho com a gente.

TENHO QUE

1. Parar de esperar que o telefone toque (Lilly NÃO vai ligar. Nem Josh Richter)
2. Fazer mais amigas
3. Ter mais autoconfiança
4. Deixar de roer as unhas postiças
5. Começar a agir de forma mais:
   A. Responsável
   B. Adulta
   C. Madura
6. Ser mais feliz
7. Desenvolver autoatualização
8. Comprar:
   sacos de lixo
   guardanapos
   condicionador
   atum
   papel higiênico!!!!

Mais Terça-feira, Álgebra

Oh, meu Deus. Não posso acreditar. Mas tem que ser verdade, já que Shameeka acaba de me dizer.

Lilly tem um par para a Dança da Diversidade Cultural neste fim de semana.

Lilly tem namorado. Até Lilly tem namorado. Eu pensava que todos os garotos da escola tinham um medo pavoroso de Lilly.

Mas há um garoto que não tem:

Boris Pelkowski.

AAAAHHHHHHHHHHHHHHHHH!

Mais Terça-feira, Inglês

Nunca um garoto vai me convidar para sair. Nunca. TODO MUNDO tem par para a Dança da Diversidade Cultural: Shameeka, Lilly, Ling Su, Tina Hakim Baba. Eu sou a única que não vai. A ÚNICA.

Por que nasci sob essa estrela tão azarenta? Por que tive que ser amaldiçoada por esta minha aberração? Por quê? POR QUÊ?

Eu daria qualquer coisa se, em vez de ser esta princesa de 1,80 de altura, sem peito, pudesse ser uma pessoa normal de 1,68, com seios.

QUALQUER COISA.

Sátira — emprego sistemático de humor para fins de convencimento

Ironia — contrária à expectativa

Paródia — imitação fiel que exagera aspectos ridículos ou condenáveis

Mais Terça-feira, Francês

Hoje em S & T, entre uma ajuda e outra com a matéria, Michael Moscovitz me deu parabéns pela maneira como encarei o que ele chama de o Incidente Weinberger. Fiquei surpresa ao descobrir que ele tinha ouvido falar no caso. Ele disse que não se fala em outra coisa na escola, que eu arrasei Lana na frente de Josh. E ele disse: "Seu armário fica bem junto do de Josh, não é?"

Eu disse que sim.

E ele disse: "Isso deve ser meio chato pra você", mas eu disse que, para falar a verdade, não era, já que tinha a impressão de que, ultimamente, Lana parecia estar evitando aquela área, e que Josh nunca fala comigo, a não ser para dizer "Quer me dar licença?", de vez em quando.

Perguntei a ele se Lilly andava dizendo coisas horrorosas a meu respeito, e ele respondeu, todo surpreso: "Ela nunca disse nada de mau sobre você. Ela simplesmente não entende por que você explodiu com ela daquela maneira."

Eu disse: "Michael, ela está sempre me rebaixando! Eu simplesmente não pude aguentar mais. Já tenho problemas demais, sem precisar de amigas que não me dão apoio nenhum."

Ele riu e disse: "Que tipo de problemas você poderia ter?"

Como se eu fosse muito criança ou alguma coisa assim para ter problemas!

Mas dei uma lição e tanto nele. Eu não podia contar que era a princesa de Genovia, que não tinha seios e outras coisas parecidas, mas lembrei a ele que estava levando pau em álgebra, que estava de castigo por uma semana, que havia acordado recentemente e encontrado o sr. Gianini, de samba-canção, tomando o café da manhã com minha mãe.

Ele disse que achava que, afinal de contas, eu tinha alguns problemas.

Durante todo o tempo em que Michael e eu estivemos conversando, vi Lilly nos lançando aqueles olhares por trás do quadro de avisos, onde estava escrevendo slogans Ho-Gate com um marcador. Por isso acho que, porque estou brigada com ela, não tenho permissão para ser amiga do irmão dela.

Ou talvez ela esteja apenas magoada, porque o boicote que organizou contra a Ho's Deli está causando um grande rebuliço na escola. Em primeiro lugar, todos os garotos de origem asiática começaram a fazer compras exclusivamente na Ho's. E por que não? Graças à campanha de Lilly, eles sabem agora que podem ter um desconto de cinco por cento em praticamente tudo. O outro problema é que não há outra delicatessen que dê para a gente ir a pé. Esse fato causou uma grande divisão entre os manifestantes. Os não fumantes querem continuar o boicote, enquanto todos os fumantes querem escrever uma carta malcriada e depois esquecer tudo. E como todos os garotos populares na escola fumam, eles não estão nem aí para o boicote. Continuam a ir ao Ho's exatamente como iam antes para comprar seus maços de Camel Lights.

Quando a gente não consegue trazer para nosso lado os caras mais populares, temos que compreender que não tem jeito. Sem o apoio de celebridades, nenhuma causa tem chance. Quero dizer, onde estariam todas aquelas crianças famintas sem Sally Struthers?

De qualquer modo, nessa hora Michael me fez uma pergunta esquisita. Disse: "Então você está de castigo em casa?"

Eu olhei para ele de um jeito estranho. "Você quer dizer de castigo? Não, claro que não. Minha mãe está inteiramente do meu lado. Meu pai quer processar a escola."

Aí Michael disse: "Oh, bem, eu estava pensando que, se você não tiver programa no sábado, talvez nós pudéssemos..."

Mas nesse momento a sra. Hill entrou e nos obrigou a preencher questionários para a tese de doutorado que está escrevendo sobre delinquência juvenil nas cidades, mesmo com Lilly se queixando de que não éramos as pessoas certas para dizer alguma coisa sobre isso, já que a única violência de adolescentes que presenciamos foi quando houve uma venda de jeans *baggy* na Gap da Quinta Avenida.

Nesse momento, a sineta tocou e eu saí correndo o mais rápido que pude. Eu sabia o que Michael ia me pedir, entenda. Ele ia sugerir que a gente se encontrasse para repassar divisão por etapas, que ele diz que é uma tragédia humana. E eu simplesmente achei que não podia aguentar aquilo. Matemática? No fim de semana? Depois de ter passado quase todos os momentos acordada da semana estudando isso?

Não, obrigada.

Mas eu não quis ser grossa, então me mandei antes que ele pudesse pedir. Será que fiz alguma coisa horrível?

Para dizer a verdade, uma garota só pode aguentar tanta crítica assim em cima de seus restos mortais.

ma	*mon*	*tes*
ta	*ton*	*tes*
sa	*son*	*ses*
notre	*notre*	*nos*
votre	*votre*	*vos*
leur	*leur*	*leurs*

DEVER DE CASA

Álgebra: pág. 121, 1-57, apenas o resto após a divisão
Inglês: ??? Perguntar a Shameeka
Civilizações Mundiais: questões no fim do Capítulo 9
S & T: nenhum
Francês: *pour demain, une vignette culturelle*
Biologia: nenhum

Terça-feira à Noite

Grandmère acha que Tina Hakim Baba parece ser uma amiga muito melhor para mim do que Lilly Moscovitz. Mas acho que ela está dizendo isso apenas porque os pais de Lilly são psicanalistas enquanto o pai de Tina é um xeque árabe e a mãe dela é parente do rei da Suécia, de forma que eles são mais adequados para lidar com a herdeira do trono de Genovia.

Os Hakim Baba são também super-ricos, de acordo com minha avó. Têm zilhões de poços de petróleo. Grandmère disse que, quando eu for jantar com eles na noite de sexta-feira, devo levar um presente e usar meus mocassins Gucci. Perguntei a ela que tipo de presente, e ela disse que o café da manhã. Vai fazer uma encomenda especial ao Balducci's para ser entregue na manhã de sábado.

Ser princesa dá um trabalho danado.

Acabei de me lembrar: hoje, no almoço, Tina trouxe um novo livro. Tinha a capa exatamente igual à do outro, só que desta vez a heroína era morena. Este tinha o título *Meu Amor Secreto*, e era sobre uma garota pobre que se apaixona por um garoto rico que nunca toma conhecimento dela. Depois, o tio da garota sequestra o garoto e pede resgate, e ela tem que tratar dos ferimentos dele e ajudá-lo a fugir e coisa assim e, claro, ele fica loucamente apaixonado por ela. Tina disse que já leu o fim do romance e que a garota vai viver com os pais do garoto rico, depois que o tio dela acaba na cadeia e não pode mais sustentá-la.

Por que é que uma coisa dessas nunca acontece *comigo*?

Quarta-feira, 15 de Outubro, Sala de Frequência

Novamente, nada de Lilly hoje. Lars sugeriu que ganharíamos tempo se a gente fosse direto para a escola e não parasse no prédio dela todos os dias. Acho que ele tem razão.

Foi realmente estranho quando paramos na frente da Albert Einstein. Todas as pessoas que ficam sempre por ali antes do começo das aulas, fumando, sentadas em cima de Joe, o leão de pedra, estavam reunidas em grupos, olhando para alguma coisa. Achei que o pai de alguém havia sido acusado novamente de lavagem de dinheiro. Pais podem ser tão egoístas: antes de fazerem alguma coisa ilegal, deviam parar e pensar como seus filhos iam se sentir, se eles fossem pegos.

Se eu fosse Chelsea Clinton, mudaria de nome e me mudava para a Islândia.

Mas continuei a andar, sem parar, para mostrar que não ia tomar parte em fofocas. Um grupo de pessoas me olhou fixamente. Acho que Michael tem razão: a coisa realmente se *espalhou*, de eu ter atingido Lana com uma casquinha de Nutty Royale. Ou isso ou meu cabelo estava arrepiado de alguma maneira esquisita. Mas dei uma olhada nele no banheiro das meninas e não estava.

Um bando de meninas saiu do banheiro rindo feito malucas.

Às vezes, quero morar numa ilha deserta. De verdade. Sem ninguém por perto numa distância de centenas de quilômetros. Apenas eu, o oceano, a areia e um coqueiro.

E, talvez, uma TV 37 polegadas de alta definição, com uma antena parabólica e um PlayStation com uma fita de Bandicoot, para quando eu ficasse de saco cheio.

FATOS POUCO CONHECIDOS

1. A pergunta mais comum feita na Albert Einstein High School é: Tem um chiclete sobrando?
2. Abelhas e touros são atraídos pela cor vermelha.
3. Na minha sala de frequência, às vezes demora meia hora para a gente dizer que chegou.
4. Sinto falta da minha melhor amiga, Lilly Moscovitz.

Mais Tarde na Quarta-feira, Antes da Álgebra

A coisa mais estranha do mundo aconteceu. Josh Richter veio até o armário dele para guardar o livro de trigonometria e disse "Como vai?" para mim enquanto eu pegava meu livro de álgebra.

Juro por Deus que não estou inventando.

Fiquei em estado de choque total. Quase deixei cair a mochila. Não tenho a mínima ideia do que respondi. Acho que disse que estava bem. Tomara que tenha dito que estava bem.

Por que Josh Richter falou comigo?

Deve ter sido outro daqueles ataques, como o que ele teve no Bigelows.

Depois, ele fechou a porta do armário com uma batida, *olhou bem de cima na minha cara* — ele é mesmo muito alto — e disse: "A gente se vê."

Depois foi embora.

Precisei de cinco minutos até recuperar a respiração.

Os olhos dele são tão azuis que até dói de ver.

Quarta-feira, Sala da Diretora Gupta

Acabou.

Estou ferrada.

É isso aí.

Agora sei o que todo mundo estava olhando no lado de fora. Sei por que todos estavam fofocando baixinho e dando risadinhas. Agora sei por que aquelas meninas saíram correndo do banheiro. Sei por que Josh Richter falou comigo.

Minha foto está na primeira página do *Post*.

Isso mesmo. Do *New York Post*. Lido por milhões de nova-iorquinos todos os dias.

É isso aí. Estou ferrada.

Para dizer a verdade, é uma bela foto minha. Acho que alguém a tirou quando eu estava saindo do Plaza na noite de sábado, depois de jantar com Grandmère e papai. Estou descendo os degraus logo depois das portas giratórias, sorrindo um pouco, mas não para a câmera. Não me lembro de ninguém ter batido a foto, mas acho que alguém bateu.

Em cima da foto, as palavras *Princesa Amelia* e, em letras menores, *A Autêntica Realeza Nova-Iorquina*.

Espetacular. Simplesmente espetacular.

Foi o sr. Gianini quem descobriu tudo. Disse que estava indo pegar o metrô para o trabalho quando viu aquilo numa banca de jornais. Ligou para minha mãe. Mas mamãe estava tomando banho e não ouviu o telefone tocar. O sr. G deixou uma mensagem na secretária. Mas minha mãe nunca vai ver de manhã se a secretária tem alguma mensagem porque todo mundo que ela conhece sabe que ela acorda tarde e então ninguém liga antes do meio-dia. Quando ele ligou novamente, ela já havia saído para o estúdio, onde nunca atende o telefone porque usa um walkman enquanto pinta, para poder ouvir Howard Stern.

De modo que o sr. G não teve escolha a não ser ligar para meu pai no Plaza, o que foi muita coragem dele, pensando bem. De acordo com o sr. G, meu pai ficou desesperado. E disse ao sr. G que, até que pudesse chegar lá, eu devia ficar na sala da diretora, onde estaria "em segurança".

Papai evidentemente não conhece a diretora Gupta.

Na verdade, eu não devia dizer isso. Ela não foi tão má assim. Mostrou o jornal e disse, de um jeito meio sarcástico, mas educadamente: "Você podia ter me contado isso, Mia, quando lhe perguntei se estava tudo bem em casa."

Fiquei toda vermelha. "Pra dizer a verdade", disse eu, "eu não achava que alguém fosse acreditar em mim."

"Isso é mesmo", disse a diretora Gupta, "um pouco inacreditável."

E era isso o que dizia a matéria na segunda página do *Post*. CONTO DE FADAS VIRA REALIDADE PARA UMA SORTUDA GAROTA NOVA-IORQUINA, foi assim que disse a repórter, uma tal sra. Carol Fernandez. Como se eu tivesse ganhado na loteria ou coisa parecida. Como se eu estivesse *feliz* com isso.

E a sra. Carol Fernandez escreveu um bocado sobre minha mãe, "a pintora avant-garde de cabelos da cor das asas do corvo, Helen Thermopolis", e sobre meu pai, "o bonitão Príncipe Phillipe de Genovia", que "havia vencido uma batalha contra um câncer em um testículo". Oh, obrigada, Carol Fernandez, por dizer a toda Nova York que meu pai só tem um vocês-sabem-o-quê.

Depois, ela passou a me descrever como "a beldade escultural, produto do tempestuoso amor na faculdade entre Helen e Phillipe".

ALÔ???? CAROL FERNANDEZ, VOCÊ TÁ FUMANDO CRACK????

Eu NÃO sou uma beldade escultural. Isso mesmo, sou ALTA, UMA GIRAFA, mas não sou nenhuma beldade. Eu quero isso que Carol Fernandez anda fumando, se ela pensa que EU SOU bela.

Não é de admirar que todo mundo esteja rindo de mim. Isto é tão embaraçoso. Quero dizer, de verdade.

Oh, lá vem papai. Cara, ele parece mesmo danado da vida...

Mais Quarta-feira, Inglês

Não é justo.

É total e completamente injusto.

Quero dizer, o pai de qualquer pessoa teria deixado que ela voltasse para casa. O pai de qualquer pessoa, se a foto dessa pessoa estivesse na primeira página do *Post*, diria: "Talvez seja melhor você faltar às aulas durante alguns dias, até que baixe a poeira."

O pai de qualquer pessoa teria dito coisas assim: "Talvez seja melhor você mudar de escola. O que você acha de Iowa? Você gostaria de estudar em Iowa?"

Mas, oh, não. Não meu pai. Porque ele é um príncipe. E diz que membros da família real de Genovia não "voltam para casa" quando há uma crise. Ficam onde estão e resolvem a coisa na marra.

Na marra. Acho que papai tem alguma coisa em comum com Carol Fernandez. AMBOS andam puxando um fumo.

Então, meu pai me lembrou que eu estou sendo paga para aguentar isso. Certo! Cem malditos dólares! Cem malditos dólares por dia para ser publicamente ridicularizada e humilhada.

É melhor que aqueles bebês focas se sintam gratos, isto é tudo que tenho a dizer.

Então estou aqui na aula de inglês, todo mundo cochichando e apontando pra mim, como se eu tivesse sido abduzida por alienígenas ou algo parecido e meu pai espera que eu fique sentadinha aqui e deixe que eles olhem, porque sou uma princesa e é isso o que princesas fazem.

Mas esses garotos são brutais.

Tentei dizer isso a meu pai. Como: "Papai, você não compreende. Todos eles estão rindo de mim."

E tudo o que ele disse foi: "Sinto muito, doçura. Você vai ter simplesmente que aguentar. Você sabia que isso, no fim, ia acontecer. Eu tinha esperança de que não fosse tão cedo assim, mas talvez seja até bom acabar de uma vez..."

Hummm, alô? Eu não sabia que isso ia acontecer um dia. Eu pensava que ia poder manter toda esta coisa de princesa em segredo. Meu lindo plano de só ser princesa em Genovia está se desfazendo todo. Tenho que ser princesa aqui mesmo em Manhattan e, pode crer, não é fácil.

Fiquei tão brava com meu pai por me dizer que tinha que voltar para a aula que o acusei de, ele mesmo, ter me dedurado a Carol Fernandez.

Ele ficou todo ofendido. "Eu? Eu não conheço Carol Fernandez nenhuma." Lançou aquele olhar esquisito ao sr. Gianini, que estava ali com as mãos nos bolsos, parecendo muito preocupado.

"O quê?", disse o sr. G, que passou rapidamente de preocupado para surpreso. "Eu? Eu nunca tinha ouvido falar em Genovia até esta manhã."

"Meu Deus, papai", disse eu. "Não bote a culpa no sr. G. *Ele* não teve nada que ver com isso."

Papai não pareceu muito convencido. "Bem, alguém vazou a história para a imprensa..." E disse isso também daquela maneira maldosa. A gente podia ver que ele acreditava, sem a menor dúvida, que o sr. G era quem tinha feito aquilo. Mas não podia ter sido ele. Carol Fernandez escreveu na matéria dela coisas que não havia como o sr. G saber, porque nem mamãe sabe. Como, por exemplo, que Miragnac tem uma pista de pouso particular. Eu nunca contei isso a ela.

Mas, quando eu disse isso a meu pai, ele apenas lançou um olhar desconfiado para o sr. G. "Bem", voltou a dizer, "vou ter simplesmente que dar um telefonema para essa Carol Fernandez e descobrir quem foi a fonte dela."

E, enquanto meu pai fazia isso, Lars entrou em minha vida para sempre. Não estou brincando. Exatamente como a Tina Hakim Baba, agora tenho um segurança que me segue de uma sala de aula para outra. Como se eu já não fosse o motivo de troça da escola.

Agora tenho uma escolta armada.

Tentei de todo jeito me livrar. E disse: "Papai, eu posso tomar conta direitinho de mim mesma", mas ele permaneceu inteiramente rígido e respondeu que mesmo Genovia sendo um pequeno país, é um país muito rico, e que ele não pode assumir o risco de eu ser sequestrada e mantida em cativeiro até o pagamento do resgate, como o menino de *Meu Amor Secreto*, só que ele não disse isso porque nunca leu *Meu Amor Secreto*.

Aí eu disse: "Papai, ninguém vai me sequestrar. Isto aqui é uma escola", mas ele não aceitou essa explicação. Perguntou à diretora Gupta se estava tudo bem, e ela respondeu: "Certamente, Vossa Alteza."

Vossa Alteza! A diretora Gupta chamou meu pai de Vossa Alteza!

Se aquela situação não fosse tão séria e tudo mais, eu teria mijado nas calças de tanto rir.

A única coisa boa disso tudo foi que a diretora Gupta cancelou o castigo que ia até o fim da semana, dizendo que ter a foto no *Post* já é punição suficiente.

Mas, na realidade, a única razão é que ela ficou totalmente encantada com meu pai. Ele deu uma de Jean-Luc Picard em cima dela de um jeito que você não acreditaria, chamando-a de Madame Diretora e pedindo desculpas por toda aquela confusão. Eu estava esperando que ele beijasse a mão dela, tão descaradamente ele estava flertando com ela. E a diretora Gupta é casada há um milhão de anos e tem aquela grande verruga preta no nariz. E ela caiu direitinho no papo dele! Estava engolindo tudo aquilo!

Eu gostaria de saber se Tina Hakim Baba ainda vai se sentar comigo na hora do almoço. Bem, se ela se sentar, nossos seguranças vão ter alguma coisa para fazer: podem comparar táticas de defesa pessoal.

Mais Quarta-feira, Aula de Francês

Acho que devia ter minha foto mais vezes na primeira página do *Post*.

De repente, fiquei muito popular.

Entrei na lanchonete (eu disse a Lars para ficar passos atrás de mim o tempo todo; ele continuava pisando no calcanhar das minhas botas de combate), e Lana Weinberger, logo ela, enquanto eu estava na fila para pegar a bandeja, disse: "Oi, Mia. Por que você não vem se sentar com a gente?"

Não estou brincando. Aquela hipócrita nojenta quer ser minha amiga, agora que sou princesa.

Tina estava bem atrás de mim na fila (bem, Lars estava entre mim e ela, Tina estava atrás de Lars, e o segurança dela estava atrás dela). Mas Lana convidou Tina para se sentar com ela? Claro que não. O *New York Post* não chamou *Tina* de "beleza escultural". Em resumo, meninas gordinhas — mesmo que os pais delas sejam xeques árabes — não são suficientemente boas para se sentarem ao lado de Lana. Oh, não. Só princesas genovianas legítimas são suficientemente boas para se sentarem ao lado de Lana.

Eu quase vomitei em cima da bandeja do almoço.

"Não, obrigada, Lana", respondi. "Eu já tenho com quem sentar."

Você devia ter visto a cara que ela fez. Na última vez que a vi parecer tão chocada assim um sorvete de casquinha tinha sido enfiado no peito dela.

Mais tarde, quando já estávamos sentadas, Tina só conseguiu beliscar a salada. Não disse uma única palavra sobre essa coisa de princesa. Mas enquanto isso, todo mundo na lanchonete — incluindo os drogados, que nunca notam coisa nenhuma — olhava para nossa mesa. Eu quero dizer uma coisa, aquilo foi meio incômodo. Eu podia sentir os olhos de Lilly me atravessando. Ela não me disse nada ainda, mas acho que devia ter sabido. Quase nada escapa de Lilly.

De qualquer jeito, depois de algum tempo, não aguentei mais. Joguei no prato uma garfada de feijão e arroz e disse: "Olhe aqui, Tina, se você não quiser se sentar mais comigo, eu entendo."

Os grandes olhos de Tina se encheram de lágrimas. Estou falando sério. Ela sacudiu a cabeça, balançando as compridas tranças pretas. "O que é que você quer dizer com isso?", perguntou. "Você não gosta mais de mim, Mia?"

Foi minha vez de ficar chocada. "O quê? Claro que gosto de você. Eu pensei que você talvez não gostasse de mim. Quero dizer, todo mundo está olhando para nós. Posso entender que você possa não querer se sentar comigo."

Tina sorriu, triste. "Todo mundo olha para mim também", disse. "Por causa de Wahim, entende."

Wahim é o segurança dela. Wahim e Lars estavam sentados junto com a gente, discutindo qual pistola tinha mais poder de fogo. A Magnum 357 de Wahim ou a Glock 9mm de Lars? Era um assunto meio assustador, mas os dois pareciam se sentir tão felizes quanto possível. Dentro de um minuto ou dois, eu esperava que eles começassem uma prova de fogo.

"Então você entende", disse Tina, "*eu estou* acostumada a pessoas que me acham esquisita. É de *você* que sinto pena, Mia. Você poderia se sentar com qualquer pessoa — com qualquer uma nesta lanchonete — e está aqui presa comigo. Não quero que você ache que tem que ser boazinha comigo só porque ninguém é."

Aí é que eu fiquei realmente furiosa. Não com Tina. Mas com todo mundo na Albert Einstein. Quero dizer, Tina Hakim Baba é realmente legal e ninguém sabe disso porque ninguém conversa com ela, porque ela não é magra que nem um palito, é meio caladona e vive grudada a um segurança estúpido. Enquanto certas pessoas se preocupam com coisas como o fato de uma delicatessen estar cobrando cinco centavos a mais de alguns por comprimidos de ginkgo biloba, há seres humanos que andam em nossa escola no sofrimento mais terrível e ninguém diz nem bom-dia para eles, ou "Como foi seu fim de semana?".

Mas depois eu me senti culpada porque, uma semana antes, eu havia sido uma dessas pessoas. Eu sempre pensei que Tina Hakim Baba era uma aberração. A razão por que eu não queria que ninguém descobrisse que eu era princesa era que tinha medo de que me tratassem da maneira como tratavam Tina Hakim Baba. E agora que a conheço eu sei como errei ao pensar tão mal dela.

Então eu disse a Tina que não queria me sentar com ninguém, só com ela. Disse ainda que achava que nós duas tínhamos que permanecer unidas e não apenas pela razão óbvia (Wahim e Lars). Disse que a gente precisava ficar junto porque todo mundo mais nessa escola estúpida era completamente MALUCO.

Tina pareceu ficar bem mais feliz quando eu disse isso e começou a me falar sobre o novo livro que estava lendo. O título deste é

Só Ame Uma Vez e é sobre uma garota que se apaixona por um garoto que tem câncer terminal. Eu disse a ela que aquilo parecia uma coisa chata de ler, mas ela me disse que já tinha lido o fim do livro e que o câncer terminal do garoto desaparece. Se é assim, tudo bem.

Quando fomos devolver nossas bandejas, vi Lilly olhando fixamente em minha direção. Mas não era o tipo de olhar usado por alguém que logo ia pedir desculpas. Por isso não fiquei surpresa quando, mais tarde, cheguei à S & T, e Lilly ficou sentada ali, me encarando mais. Boris continuava querendo conversar com ela, mas ela obviamente não estava escutando. Finalmente, ele desistiu, pegou o violino e voltou para o almoxarifado, que é o lugar dele.

Enquanto isso, minha sessão de explicação com o irmão de Lilly desenvolveu-se mais ou menos assim:

Eu: Oi, Michael. Resolvi todos aqueles problemas que você me passou. Mas ainda não entendo por que a gente não olha simplesmente o horário dos trens, se quer descobrir a que horas um trem viajando a 107,202 quilômetros por hora chegará a Fargo, Dakota do Norte, se deixar Salt Lake City às sete da manhã.

Michael: Princesa de Genovia, ahn, ahn? Você algum dia ia passar essa pequena informação para o grupo ou a gente deveria adivinhar?

Eu: Eu estava esperando que ninguém nunca descobrisse.

Michael: Bem, isso é óbvio. Mas não entendo por quê. Não parece ser uma coisa ruim.

Eu: Tá brincando comigo? Claro que é ruim!

Michael: Você leu a matéria no *Post* de hoje, Thermopolis?

Eu: De jeito nenhum. Não vou ler aquele lixo. Eu não sei quem essa Carol Fernandez pensa que é, mas...

Nesse momento, Lilly entrou na dança. Foi como se ela não aguentasse mais ficar de fora.

Lilly: Então você não sabe que o príncipe herdeiro de Genovia — isto é, seu pai — tem um patrimônio pessoal total, incluindo propriedades imobiliárias e a coleção de obras de arte do palácio, estimado em mais de trezentos milhões de dólares?

Bem, acho que é mais do que óbvio que Lilly leu a matéria de hoje do *Post*.

Eu: Hummm...

Alô? Trezentos milhões de dólares?? E eu só recebo uns miseráveis US$ 100 por dia???

Lilly: Eu gostaria de saber quanto dessa fortuna foi acumulada explorando o suor do trabalhador comum.

Michael: Considerando que o povo de Genovia, tradicionalmente, nunca pagou imposto de renda nem impostos imobiliários, eu diria que nenhuma parte. Que que deu em você, Lil?

Lilly: Bem, se você quer tolerar os excessos da monarquia, fique à vontade, Michael. Mas acontece que acho revoltante, com a economia mundial no estado em que está, que alguém tenha um patrimônio líquido de trezentos milhões de dólares... especialmente alguém que nunca trabalhou um dia por isso.

Michael: Queira me perdoar, Lilly, mas sei que o pai de Mia trabalha muito pelo seu país. A promessa histórica do pai dele, depois da invasão por forças de Mussolini em 1939, de exercer os direitos de soberania de acordo com os interesses políticos e econômicos da vizinha França, em troca de proteção militar e naval na eventualidade de uma guerra, poderia ter amarrado as mãos de um político de menos valor, mas o pai de Mia conseguiu dar um jeito de contornar o acordo. Seu trabalho resultou numa nação que tem a mais alta taxa de alfabetização da Europa, uma das melhores de aproveitamento educacional e os índices mais baixos de mortalidade infantil, inflação e desemprego do Ocidente.

Depois disso, só pude olhar admirada para Michael. Uau. Por que Grandmère não me ensina coisas como essas em nossas aulas de princesa? Quero dizer, eu poderia usar esta informação. Não preciso saber exatamente em que direção inclinar minha tigela de sopa. Preciso é saber como me defender de antimonarquistas virulentos como minha ex-melhor amiga Lilly.

Lilly: (para Michael) Cale a boca. (para mim) Estou vendo que já conseguiram que você, como boa menina, repita a propaganda populista deles.

Eu: *Eu?* Foi Michael quem...

Michael: Ah, Lilly, você está apenas com ciúmes.

Lilly: Não estou!

Michael: Está, sim. Está com ciúmes porque ela cortou os cabelos sem consultar você. Está com ciúmes porque você deixou de falar com ela, ela saiu e arranjou uma nova amiga. E está com ciúmes porque desta vez Mia tinha um segredo e não contou a você.

Lilly: Michael, CALE A BOCA.

Boris: (enfiando a cabeça pela porta do almoxarifado) Lilly? Você disse alguma coisa?

Lilly: EU NÃO ESTAVA FALANDO COM VOCÊ, BORIS!

Boris: Desculpe. (volta para o almoxarifado)

Lilly: (nesse momento, uma verdadeira fera) Porra, Michael, você tinha que sair correndo em defesa da Mia. O que eu gostaria de saber é se talvez tenha ocorrido a você que seu argumento, embora aparentemente baseado na lógica, pode ter raízes menos intelectuais do que libidinosas.

Michael: (ficando vermelho por alguma razão) E o que é que você me diz dessa perseguição sua contra os Ho? Isso é baseado em raciocínio intelectual? Ou é mais um exemplo de vaidade descontrolada?

Lilly: Isso é um círculo vicioso.

Michael: Não é. É empírico.

Uau. Michael e Lilly são espertos. Grandmère tem razão: preciso melhorar meu vocabulário.

Michael: (para mim) Então esse cara (e apontou para Lars) tem que segui-la, de agora em diante, a todo lugar que você for?

Eu: Tem.

Michael: De verdade? Qualquer lugar?

Eu: Qualquer lugar, menos o banheiro das meninas. Nesse caso, ele espera no lado de fora.

Michael: E se você tem um encontro? Como na Dança da Diversidade Cultural, neste fim de semana?

Eu: Isso não é exatamente um problema, considerando que ninguém me convidou para ser sua companhia.

Boris: (inclinando-se pela janelinha da porta do almoxarifado) Desculpe. Eu derramei acidentalmente uma garrafa de cimento emborrachado com o arco do meu violino e está ficando difícil respirar aqui. Posso sair agora?

Todo mundo na sala de S & T: NÃO!!!

Sra. Hill: (no corredor, enfiando a cabeça pela porta) Que barulho todo é este aqui? Quase não conseguimos ouvir nossos pensamentos na sala dos professores. Boris, por que você está aí no almoxarifado? Saia daí, agora. Todo mundo, voltem pro estudo!

Vou precisar ler com mais atenção aquela matéria no *Post* de hoje. Trezentos milhões de dólares? Isso foi quase tanto quanto Oprah ganhou no ano passado!

Então, se somos tão ricos assim, como é que a TV de meu quarto é apenas preto e branco?

Nota para mim mesma: procurar no dicionário as palavras *empírico* e *libidinoso*.

Quarta-feira, Noite

Não era de se espantar que papai tivesse ficado tão furioso com a matéria da Carol Fernandez! Quando Lars e eu saímos da Albert Einstein depois da minha aula de revisão, havia repórteres por todos os lados. Não estou brincando. Era como se eu fosse uma assassina, uma celebridade, ou coisa assim.

Pelo que disse o sr. Gianini, que saiu da escola com a gente, repórteres chegavam o dia inteiro. Havia também furgões da New York One, Fox News, CNN, Entertainment Tonight... tudo que você imaginar. Queriam entrevistar todos os garotos que estudam na Albert Einstein, perguntando se me conheciam (pelo menos, ser impopular é bom, às vezes. Não acho que tenham localizado alguém que realmente se lembrasse de como eu era — pelo menos, não com meu novo cabelo não triangular). O sr. G disse que a diretora Gupta, no fim, teve que chamar a polícia, porque a Escola Albert Einstein é propriedade particular e os repórteres estavam invadindo o terreno, jogando pontas de cigarros nos degraus, bloqueando a calçada, encostando no Joe, o leão de pedra, e coisas desse tipo.

O que é, pensando bem, exatamente o que todos os garotos populares fazem quando ficam matando tempo no pátio da escola, depois do último sinal, e a diretora Gupta nunca chama a polícia... mas, também, acho que os pais deles pagam mensalidade.

Tenho que dizer: agora sei mais ou menos como a Princesa Diana deve ter se sentido. Quero dizer, quando Lars, o sr. G e eu saímos, os repórteres tentaram nos cercar por todos os lados, balançando microfones na nossa cara e gritando coisas como "Amelia, que tal um sorriso?" e "Amelia, como é acordar uma manhã como produto de uma família de mãe solteira e ir dormir na noite seguinte como uma princesa real que vale trezentos milhões de dólares?".

Fiquei meio assustada. Mesmo que quisesse, não poderia responder às perguntas deles, porque não sabia em que microfone falar. E além do mais eu estava praticamente cega com aqueles flashes disparando no meu rosto.

Foi aí que Lars entrou em ação. Você devia ter visto isso. Em primeiro lugar, ele me disse para não dizer nada. Em seguida, pôs o braço em volta de mim. E disse ao sr. G para passar o braço pelo meu outro lado. Depois, não sei como, baixamos a cabeça e passamos como um torpedo por todas aquelas câmeras e microfones e as pessoas ligadas a eles, até que, quando eu menos esperava, Lars estava me botando no banco traseiro do carro de papai e depois saltando pra dentro também.

Alô! Acho que todo aquele treinamento no Exército israelense valeu a pena. (Ouvi, sem querer, Lars dizendo a Wahim que foi lá que aprendeu a manejar uma Uzi. Wahim e Lars têm até amigos comuns, como acabaram descobrindo. Acho que todos os seguranças estudam no mesmo centro de treinamento no deserto de Gobi.)

Logo que bateu a porta traseira do carro, Lars disse "Vamos" e o cara no volante pisou fundo. Eu não o reconheci, mas sentado ao lado dele, olhe só quem estava ali, meu pai. E quando a gente saiu dali, com o barulho de freios, os flashes estourando, repórteres saltando em cima do para-brisa para pegar um ângulo melhor, meu pai perguntou, no tom de voz mais normal do mundo: "Bem, como foi seu dia hoje, Mia?"

Meu Deus!

Resolvi ignorar papai. Em vez disso, virei para dar adeus com a mão ao sr. G, só que ele havia sido engolido por um mar de microfones! Mas não quis falar com a imprensa. Continuava apenas tentando afastá-los com as mãos e pegar o caminho para o metrô, para poder pegar o trem E ir para casa.

Nessa hora, senti pena do pobre sr. G. É verdade que ele havia provavelmente enfiado a língua na boca da minha mãe, mas ele é realmente um cara legal e não merece ser perseguido pela mídia.

Eu disse também a papai que a gente devia ter dado uma carona ao sr. G e levado ele em casa, mas ele ficou todo sensível, colocou o cinto de segurança e disse: "Coisas malditas. Eles sempre me enforcam."

Então perguntei a papai em qual escola eu ia estudar agora.

Ele me olhou como se eu tivesse ficado louca. "Você disse que queria continuar na Albert Einstein!", disse quase gritando.

Eu disse, bem, sim, mas isso foi antes de Carol Fernandez me entregar.

Meu pai quis saber o que era entregar, então expliquei a ele que é quando alguém revela sua orientação sexual em uma rede nacional de TV, jornal ou algum outro grande espaço público. Só que, neste caso, expliquei, em vez da minha orientação sexual, meu status real foi revelado.

Então papai disse que eu não podia mudar de escola simplesmente porque haviam revelado minha condição de princesa. Disse que eu tinha que continuar na Albert Einstein, que Lars ia assistir às aulas comigo e me proteger dos repórteres.

Quando perguntei quem ia dirigir para ele, ele apontou pro novo cara, Hans.

O novo cara inclinou a cabeça para mim no retrovisor e disse: "Oi."

Então eu disse: "Lars vai comigo a todo lugar que eu for?" E se eu quisesse apenas ir até a casa de Lilly? Quero dizer, se Lilly e eu ainda fôssemos amigas. O que certamente nunca mais vai acontecer.

Ao que papai disse: "Lars iria com você."

Resumindo, basicamente nunca mais vou sozinha a lugar nenhum.

Isso me deixou meio irritada. Eu estava sentada no banco traseiro, com uma luz vermelha de sinal de trânsito piscando em cima de meu rosto e eu disse: "OK, bem, é isso. Não quero mais ser princesa. Pode receber de volta seus cem dólares por dia e mandar Grandmère de volta para a França. Eu me demito."

E papai respondeu naquela voz cansada: "Você não pode se demitir, Mia. A matéria hoje no jornal selou o trato. Amanhã seu rosto estará em todos os jornais da América — talvez do mundo. Todo mundo saberá que você é a princesa Amelia de Genovia. E você não pode se demitir de quem é."

Acho que não foi uma coisa muito principesca o que fiz, mas chorei o caminho todo até o Plaza. Lars me deu um lenço, o que achei muito legal da parte dele.

Mais Quarta-feira

Mamãe acha que foi Grandmère quem deu a dica para Carol Fernandez.

Mas eu, realmente, não posso acreditar que Grandmère faria uma coisa dessas — você sabe, dar ao *Post* o furo de reportagem sobre mim. Especialmente quando estou tão atrasada nas lições sobre como ser princesa. Quer saber de uma coisa? É quase certo que agora vou ter que começar a me comportar como uma princesa — quero dizer, realmente, me comportar como uma — e Grandmère nem chegou perto das coisas realmente importantes, coisas como discutir sem dizer besteira com antimonarquistas virulentos como Lilly. Até agora, tudo que ela me ensinou foi como me sentar, vestir, usar o garfo de peixe, falar com membros graduados da equipe doméstica da casa real, como dizer muitíssimo obrigada e, isso não me interessa, dizer em sete idiomas como preparar um Sidecar, e um pouco de teoria marxista.

Que bem qualquer DESSAS COISAS vai me fazer?

Mas mamãe está convencida. Nada vai mudar o que ela pensa. Papai está realmente furioso com ela, mas ela não muda de opinião. Diz que foi Grandmère quem passou a dica a Carol Fernandez e que tudo que papai tem que fazer é perguntar a ela e então descobrir a verdade.

Papai de fato perguntou a ela — não, não a Grandmère, mas a mamãe. Perguntou por que ela nunca parou para pensar que seu namorado pode ter sido a pessoa que deu a dica para Carol Fernandez.

Logo que disse isso, acho que papai provavelmente se arrependeu. Porque os olhos de mamãe ficaram daquele jeito quando ela fica realmente muito, muito irritada — quero dizer, *realmente* irritada, como daquela vez que um cara no Washington Square Park mostrou para mim e para Lilly o seu você-sabe-o-quê enquanto a gente filmava cenas para o programa dela. Os olhos dela ficaram cada vez mais apertados, até que não eram mais do que risquinhos. Quando dei por mim, ela estava vestindo o casaco e saindo para dar um chute na bunda de algum exibicionista.

Só que ela não vestiu o casaco quando papai falou sobre o sr. Gianini. Em vez disso, os olhos dela ficaram muito apertados e os lábios quase desapareceram, de tanto os apertar, e depois disse: "Saia... daqui", uma voz que até parecia o poltergeist daquele filme, *Horror em Amityville*.

Mas papai não saiu, embora tecnicamente o sótão pertença a mamãe (graças a Deus, Carol Fernandez não deu no jornal nosso endereço, e graças a Deus, minha mãe é tão paranoica sobre Jesse Helms jogando a CIA contra pintores politizados como ela, a fim de conseguir verbas do governo, que mantém nosso número fora do catálogo. Nenhum repórter descobriu o endereço do sótão, assim pelo menos podemos pedir comida chinesa pelo telefone, sem ouvir uma matéria no *Extra* dizendo que a Princesa Amelia gosta de verduras *moo shu*).

Em vez disso, papai continuou: "Sério, Helen! Acho que você está deixando que sua antipatia por minha mãe a cegue para a verdade pura e simples."

Nessa altura, cheguei à conclusão de que seria melhor ir para meu quarto. E coloquei os fones de ouvido, para não ter que ouvir a briga deles. Esse foi um macete que aprendi olhando crianças de filmes feitos para a TV, cujos pais estão se divorciando. Meu CD favorito neste momento é o último de Britney Spears, que sei que é realmente estúpido, o que nunca poderei dizer a Lilly, embora, por dentro, eu quisesse ser Britney Spears. Uma noite, tive um sonho que era ela e estava me apresentando no auditório da Albert Einstein; usava aquele minivestido cor-de-rosa e Josh Richter disse alô pra mim antes de eu subir para o palco.

Não é embaraçoso confessar uma coisa dessas? O engraçado é que, embora eu saiba que nunca poderia contar a Lilly sobre o sonho, sem que ela se torne toda freudiana a meu respeito e me diga que vestido cor-de-rosa é um símbolo fálico e que ser Britney significa baixa autoestima ou coisa assim, sei que poderia contar a Tina Hakim Baba, e ela entenderia tudo e só ia querer saber se Josh estava usando ou não calça de couro.

Acho que não disse isso antes, mas é realmente muito difícil escrever com minhas novas unhas postiças.

Quanto mais penso nisso, mais fico me perguntando se foi Grandmère ou não quem me dedurou para Carol Fernandez. Quero dizer, fui à minha aula de princesa hoje, ainda chorando, e Grandmère nem ligou. Só disse: "E essas lágrimas são por quê...?" E quando eu contei, ela apenas ergueu suas sobrancelhas pintadas — todo dia ela arranca uma e pinta outra — e continuou: "*C'est la vie*", o que significa, "Bem, a vida é assim", em francês.

Só não acho que um monte de garotas tenha o rosto estampado na primeira página do *Post*, a menos que tenham ganhado na loteria, feito sexo com o presidente ou coisa assim. Eu não fiz nada, exceto nascer.

Não acredito mesmo que "a vida é assim". Acho que a vida é uma droga, é isso o que penso.

Depois Grandmère começou a falar que tinha passado o dia inteiro atendendo telefonemas de representantes da mídia, e que todas essas pessoas queriam me entrevistar, pessoas como Leeza Gibbons e Barbara Walters, e ela disse que eu devia dar uma entrevista coletiva, e que já falara com o pessoal do Plaza sobre isso, e que eles haviam reservado uma sala especial com um estrado e uma jarra de água gelada, alguns coqueiros e coisa e tal.

Não pude acreditar nisso! O que eu disse foi: "Grandmère! Eu não quero conversar com Barbara Walters! Deus! Como se eu quisesse que todo mundo soubesse da minha vida!"

E ela, toda afetada, disse: "Bem, se você não quer tentar agradar a mídia, ela vai simplesmente tentar obter a matéria do jeito que puder, o que significa que vai continuar a aparecer na sua escola, na casa de suas amigas, no supermercado e na locadora onde você aluga aqueles filmes de que gosta tanto."

Grandmère não acredita em videocassetes. Diz que, se Deus quisesse que a gente assistisse a cinema em casa, Ele não teria inventado próximas atrações.

Depois, ela quis saber o que havia acontecido com meu senso de dever cívico. Disse que esse senso de dever daria um grande empurrão no turismo para Genovia, se eu apenas aparecesse no programa *Dateline*.

Eu quero realmente fazer o que for melhor para Genovia. Quero, de verdade. Mas tenho que fazer também o que é melhor para Mia Thermopolis. E aparecer no *Dateline*, definitivamente, não seria a melhor coisa para mim.

Mas Grandmère parece mesmo fixada nessa coisa de promover Genovia. Então comecei a me perguntar se, talvez, apenas talvez, minha mãe não tinha razão. Talvez Grandmère tivesse de fato conversado com Carol Fernandez.

Mas ela faria uma coisa dessas?

Bem, que faria, faria.

Levantei um pouquinho os fones de ouvido. Eles continuam brigando.

Parece que esta noite vai ser muito comprida.

Quinta-feira, 16 de Outubro, Sala de Frequência

Bem, esta manhã minha cara está na primeira página do *Daily News* e do *New York Newsday*. E também na seção Metro, do *New York Times*. Usaram minha foto de matrícula na escola e, pode crer, minha mãe não ficou muito feliz com isso, já que isso significa que ou alguém da nossa família, às quais enviou cópias da foto — o que deixa Grandmère mal — ou alguém na Albert Einstein deve ter passado ela, o que compromete o sr. Gianini. Eu também não estava muito feliz, porque minha foto de escola foi tirada antes de Paolo arrumar meu cabelo, e eu pareço uma daquelas mulheres que estão sempre aparecendo na TV, contando suas tristes experiências como integrantes de um culto ou de fugir de um marido que batia nelas, ou coisa assim.

Havia mais repórteres do que nunca na frente da Albert Einstein quando Hans parou o carro ali nesta manhã. Acho que todos os noticiários da manhã precisam de alguma coisa que possam mostrar ao vivo. Geralmente, é um caminhão tombado que transportava frangos pela Palisades Parkway ou um louco mantendo a esposa e os filhos como reféns no Queens. Mas hoje fui eu.

Eu tinha meio que previsto o que poderia acontecer e estava um pouco mais preparada hoje do que ontem. Por isso, em total violação das regras de minha avó sobre moda, eu usava minhas botas de combate, com cadarços novos (no caso de eu ter que chutar alguém que segurasse um microfone perto demais da minha cara) e também todos os meus buttons do Greenpeace e contra pessoas que usam peles de animais, para que meu status de celebridade pudesse ter pelo menos bom uso.

Foi o mesmo exercício de ontem. Lars me pegou pelo braço e nós dois corremos a toda atravessando o mar de câmeras e microfones de TV até dentro da escola. Enquanto a gente corria, os repórteres gritavam coisas como: "Amelia, você pensa em seguir o exemplo da Princesa Diana e tornar-se a rainha de todos os corações?" e "Amelia, de quem é que você gosta mais, de Leonardo di Caprio ou do Príncipe William?" e ainda "Amelia, o que é que você pensa da indústria de carne?"

Eles quase conseguiram uma resposta com a última pergunta. Comecei a me virar. Lars me puxou para dentro da escola.

O QUE EU PRECISO FAZER É O SEGUINTE

1. Pensar numa maneira de fazer com que Lilly goste novamente de mim
2. Deixar de ser tão covarde
3. Parar de mentir

   e/ou

   Pensar em mentiras melhores
4. Deixar de ser tão teatral

5. Começar a ser mais
   A. Independente
   B. Autoconfiante
   C. Madura
6. Parar de pensar em Josh Richter
7. Parar de pensar em Michael Moscovitz
8. Tirar notas melhores
9. Desenvolver autoatualização

Quinta-feira, Álgebra

Hoje, na aula de álgebra, o sr. Gianini fez o que podia para nos ensinar o que era o plano cartesiano, mas ninguém conseguiu prestar atenção, por causa de todos aqueles furgões da mídia na frente da escola. A turma continuava a se levantar, se debruçar na janela e gritar para os repórteres: "Vocês mataram a Princesa Di! Tragam de volta a Princesa Di!"

O sr. Gianini tentou como podia restabelecer a ordem no pedaço, mas era impossível. Lilly começou a ficar nervosa, porque todo mundo estava se juntando contra os repórteres e ninguém queria um protesto na frente da Ho's Deli e entoar o hino que ela havia bolado, que era "Nós nos opomos aos Ho racistas".

Isso é muito mais difícil de dizer do que "Vocês mataram a Princesa Di! Tragam de volta a Princesa Di!".

Mas aí o sr. Gianini achou que tinha que conversar com a gente sobre se a mídia era realmente culpada pela morte da Princesa Diana ou se, talvez, não era o fato de que o cara que guiava o carro naquela noite estava bêbado. Então alguém tentou dizer que o motorista não estava bêbado, que tinha sido envenenado e que tudo aquilo era armação do Serviço Secreto Britânico, e aí o sr. Gianini disse, nós não poderíamos, por favor, voltar à realidade?

E depois Lana Weinberger quis saber há quanto tempo eu sabia que era princesa, e eu não consegui acreditar que ela estava realmente me fazendo uma pergunta, sem se mostrar superior a esse respeito, e eu disse que, bem, não sei, umas duas semanas ou coisa parecida, e em seguida Lana disse que se ela descobrisse que era princesa, iria direto para a Disneyworld, e eu disse, não, você não iria, por que você ia sentir falta do treinamento da torcida, e então ela disse que não compreendia por que eu não ia para a Disneyworld, já que eu nem participava de atividades extracurriculares, e foi aí que Lilly começou a falar sobre a Disneyficação da América e disse que Walt Disney era na verdade um fascista, e então todo mundo começou a dar palpite se era realmente verdade que o corpo dele havia sido criogenicamente congelado sob o castelo em Anaheim, e então o sr. Gianini disse por favor, podemos voltar ao plano cartesiano?

O que é provavelmente um plano mais seguro para se estar, se a gente pensar bem, do que este em que vivemos, já que nele não há nenhum repórter.

O sistema de coordenadas cartesianas divide o plano em quatro partes, denominadas quadrantes.

Quinta-feira, S & T

Eu estava almoçando com Tina Hakim Baba, Lars e Wahim, quando ela começou a contar que, na Arábia Saudita, terra do pai dela, as mulheres têm que usar uma coisa chamada burca, que parece um cobertor enorme que as cobre da cabeça aos pés e tem apenas uma fresta para que possam enxergar. A intenção disso é protegê-las contra os olhos sensuais dos homens. Mas Tina diz que suas primas usam camisetas Gap por baixo das burcas e, quando não há adultos por perto, arrancam aquelas coisas e ficam com os garotos, exatamente como a gente faz aqui.

Bem, *faria*, se qualquer dos rapazes gostasse da gente.

Retiro o que disse. Esqueci que Tina tem um garoto para paquerar, o cara que vai ser seu par na Dança da Diversidade Cultural. O nome dele é Dave Farouq El-Abar.

Meu Deus! O que é que há de *errado* comigo, afinal de contas? Por que nenhum cara gosta de mim?

Tina estava me contando tudo sobre as burcas quando, de repente, Lana Weinberger botou a bandeja dela junto das nossas.

Não estou brincando: *Lana Weinberger*.

Eu, claro, achei que ela fosse puxar a conta da tinturaria pela lavagem do seu suéter, jogar molho Tabasco em cima das nossas saladas ou fazer alguma outra coisa assim, mas, ao contrário, ela simplesmente disse, toda alegre: "Vocês, garotas, não se importam se nós sentarmos aqui, certo?"

E logo depois vi a bandeja dela passando por cima da minha. Estava carregada com dois double cheeseburgers, batatas fritas grandes, dois milkshakes de chocolate, uma tigela de molho chili, um pacote de Doritos, uma salada com maionese, um pacote de Yodels, uma maçã e uma Coca grande. Quando levantei a cabeça para ver quem poderia ingerir tanta gordura saturada, vi Josh Richter puxando uma cadeira ao lado da minha.

Não estou brincando. *Josh Richter*.

Ele disse "Oi" para mim, sentou-se e começou a comer.

Olhei para Tina, Tina olhou para mim, e nós duas olhamos para nossos seguranças. Mas eles estavam muito ocupados discutindo se balas com pontas de borracha realmente machucam arruaceiros ou se é melhor usar cassetetes mesmo.

Tina e eu voltamos a olhar para Lana e Josh.

Pessoas realmente atraentes como Lana e Josh nunca vão sozinhas a lugar nenhum. Sempre têm uma espécie de turminha que as segue por toda parte. A turma de Lana consiste em um bando de outras garotas, a maioria jovens animadoras de torcida como ela. Todas são muito bonitinhas, com cabelos compridos, seios e outras coisas, como Lana.

A turma de Josh é formada por um monte de veteranos que também são da equipe de remo. São todos grandões e bonitos, e todos estavam comendo quantidades absurdas de produtos animais, igual ao Josh.

A turma de Josh colocou suas bandejas ao lado da dele. A de Lana botou as suas perto da dela. E, logo depois, nossa mesa, que antes era formada apenas por duas garotas esquisitas e seus seguranças, estava toda enfeitada com as duas pessoas mais bonitas da Albert Einstein — talvez mesmo de toda Manhattan.

Dei uma boa olhada em Lilly e os olhos dela estavam arregalados como ficam quando ela vê alguma coisa que pensa que daria um bom episódio em seu programa.

"Então...", disse Lana, amigavelmente, enquanto comia a salada — sem molho e acompanhada só de água. "O que você vai fazer neste fim de semana, Mia? Vai à Dança da Diversidade Cultural?"

Era a primeira vez que ela me chamava de Mia, e não de Amelia.

"Hummmm", disse eu, toda alegre. "Deixe eu ver..."

"Tô perguntando porque os pais de Josh vão viajar e a gente estava pensando em organizar alguma coisa na casa dele, no sábado à noite, depois da dança e tudo mais. Você devia ir também."

"Hummm", respondi. "Bem, eu não..."

"Ela tem de ir, de qualquer jeito", disse Lana, furando um tomate com o garfo. "Não tem, Josh?"

Josh, nesse momento, estava com montes de chili na boca, usando Doritos em vez de colher. "Claro", disse ele, com a boca cheia. "Ela tem de ir."

"Vai ser tão legal", disse Lana. "A casa de Josh é realmente *grande*. Tem seis quartos. Na Park Avenue. E há uma banheira de hidromassagem na suíte principal. Não há uma banheira dessas, Josh?"

Josh respondeu: "Isso, há..."

Pierce, um cara da turma de Josh e também um remador de 1,90 de altura, interrompeu:

"Ei, Richter, lembra do que aconteceu depois da última dança?

Quando Bonham-Allen desmaiou na banheira de sua mãe? Aquilo foi *demais*."

Lana soltou um risinho. "Oh, Deus! Ela virou toda aquela garrafa de Bailey's Irish Cream. Lembra, Josh? Ela bebeu praticamente toda a garrafa — que porca! — e depois não parou mais de vomitar."

"Grande vômito", concordou Pierce.

"Ela teve que fazer lavagem estomacal", disse Lana a Tina e a mim. "Os paramédicos disseram que, se Josh não tivesse telefonado naquela hora, ela teria morrido."

Nós todos nos voltamos para Josh. Modestamente, ele disse: "Aquilo foi meio idiota."

Lana parou de rir. "Foi mesmo", disse ela, toda séria, já que Josh Richter havia considerado o incidente idiota.

Eu não sabia o que devia dizer sobre isso, então disse apenas: "Uau."

"Então...", disse Lana. Comeu um pedacinho de alface e derramou um pouco de água na boca. "Você vai ou não?"

"Sinto muito", respondi. "Não posso."

Algumas das amigas de Lana, que estavam conversando entre si, pararam de conversar e me olharam. Os amigos de Josh continuaram a comer.

"Você não pode?", disse Lana, fazendo uma cara de muito espantada.

"Não", respondi. "Não posso."

"O que você quer dizer com 'não posso?'"

Pensei em mentir. Podia ter dito alguma coisa como Lana, não posso ir porque vou ter que jantar com o primeiro-ministro da Islândia. Podia ter dito também Não posso ir porque vou ter que batizar um navio. Havia várias desculpas que eu poderia ter dado. Mas pelo menos por uma vez, por uma vez nesta minha vida estúpida, fui em frente e disse a verdade.

"Não posso ir", disse, "porque minha mãe não deixaria que eu fosse a uma festa desse tipo."

Oh, meu Deus. Por que eu disse isso? Por quê, por quê, por quê? Eu devia ter mentido. Devia, com certeza, ter mentido. Porque, com que pareci, dizendo uma coisa dessas? Hummm, com uma anormal. Pior do que uma anormal. Uma aberração. Uma *nerd* metida à besta.

Para começar, não sei o que foi que me obrigou a dizer a verdade. E não era nem a verdade mesmo. Quero dizer, era uma verdade, mas não a verdadeira razão por que eu estava dizendo não. Quero dizer, de jeito nenhum mamãe ia deixar que eu fosse a uma festa no apartamento de um rapaz quando os pais dele estivessem viajando. Mesmo com um segurança. Mas a verdadeira razão, claro, era que eu não sabia como me comportar numa festa como essa. Quero dizer, eu já tinha ouvido falar nesses tipos de festa. Há salas inteiras reservadas para pessoas que querem fazer sacanagem. Estamos falando daqueles grandes beijos de língua. Talvez ainda mais do que beijos de língua. Talvez mesmo bolinação acima da cintura. Talvez até abaixo da cintura. Não tenho certeza, porque não conheço ninguém que já tenha ido a uma festa dessas. Ninguém que eu conheço é suficientemente popular para ser convidado.

E, mais, todo mundo bebe. Mas eu não bebo e não tenho ninguém com quem fazer sacanagem. Então, o que é que eu ia fazer lá?

Lana me olhou, olhou em seguida para as amigas e depois explodiu numa gargalhada. Alta, quero dizer, alta MESMO.

Bem, eu acho que não posso botar a culpa nela.

"Oh, meu Deus", disse Lana quando acabou aquela gargalhada tão alta que nem podia falar. "Você não pode estar falando sério."

Tive certeza nessa hora que Lana acabava justamente de descobrir uma forma inteiramente nova de me torturar. Eu não me importava tanto assim comigo, mas sentia pena de Tina Hakim Baba, que havia conseguido manter toda essa discrição por tanto tempo. De repente, por minha causa, ela estava sendo sugada para o meio da zona de tortura das garotas populares.

"Oh, meu Deus!", disse Lana. "Você está brincando comigo, não está?"

"Ummmm", respondi. "Não."

"Bem, ninguém espera que você conte a ela a *verdade*", disse Lana, mais uma vez toda esnobe. "Você diz a ela que vai passar a noite na casa de uma amiga. *Só!*"

Oh!

Ela queria dizer: mentir. Para minha mãe. Lana, evidentemente, não conhecia minha mãe. *Ninguém* mente para minha mãe. Ninguém consegue. Não sobre uma coisa dessas. De jeito nenhum.

Então eu disse:

"Bom, não é que eu não me sinta satisfeita por ter sido convidada, mas realmente não acho que possa ir. Além do mais, eu nem bebo..."

OK, este foi outro grande erro.

Lana olhou para mim como se eu tivesse acabado de dizer que

nunca assisto a *Party of Five*, ou alguma coisa assim. E continuou: "Você não *bebe*?"

Eu fiquei olhando para ela. A verdade é que, em Miragnac, eu bebo. Bebemos vinho no jantar todas as noites. É isso o que todo mundo faz na França. Mas ninguém bebe para ficar legal. Bebe porque cai bem com a comida. Eles dizem por lá que o foie gras fica mais gostoso. Eu não sei, porque não como foie gras, mas posso lhe dizer que vinho combina mais com queijo de cabra do que Dr. Pepper.

E eu nunca beberia uma garrafa inteira, nem mesmo para ganhar uma aposta. Nem mesmo por Josh Richter.

Então encolhi os ombros e continuei: "Não. Eu tento respeitar meu corpo e não engolir um carregamento inteiro de toxinas."

Lana fez um barulho estranho ao ouvir isso, mas, de frente para ela — e ao meu lado —, Josh Richter engoliu o pedaço de hambúrguer que estava mastigando e disse: "Eu respeito esse ponto de vista."

Lana ficou de boca aberta. E eu sinto dizer, também fiquei. Josh Richter respeita alguma coisa que *eu* disse? Você está *brincando* comigo?

Mas ele parecia totalmente sério. Mais do que isso. Estava com uma cara igual à daquele dia no Bigelows, como se ele pudesse ver dentro da minha alma com aqueles olhos azuis brilhantes dele... Como se ele tivesse sempre visto dentro da minha alma...

Mas acho que Lana não notou que seu namorado estava olhando dentro da minha alma, porque o que disse foi: "Meu Deus, Josh. Você bebe mais do que todo mundo em toda esta escola."

Josh virou a cabeça e encarou ela com aqueles olhos hipnóticos. Disse, sem sorrir: "Bem, talvez, nesse caso, eu deva deixar de beber."

Lana começou a rir. E disse: "Oh, certo! Quero ver isso acontecer."

Josh não riu. Continuou apenas a olhar para ela.

Foi aí que começou minha tremedeira. Josh continuava simplesmente a olhar para Lana. Eu fiquei contente porque ele não estava olhando para mim desse jeito: aqueles olhos azuis dele não são brincadeira.

Levantei depressa e peguei a bandeja. Tina, vendo o que eu estava fazendo, fez o mesmo.

"Bem", disse eu, "a gente se vê."

E caímos fora dali.

Antes de entregarmos as bandejas, Tina perguntou: "O que significava *aquilo*?" e eu disse que não sabia. Mas de uma coisa tenho certeza:

Pelo menos uma vez na vida estou feliz por não ser Lana Weinberger.

Mais Quinta-feira, Francês

Quando fui ao meu armário depois do almoço pegar os livros para a aula de francês, Josh estava lá, meio encostado na porta do armário dele, olhando em volta. Quando me viu chegando, ele se endireitou e disse: "Oi."

E depois sorriu. Um sorriso grande, mostrando todos os dentes brancos. Dentes perfeitamente certinhos e brancos. Tive que desviar a vista daqueles dentes tão perfeitos e cegantemente brancos.

Eu disse "Oi" de volta. Eu estava realmente meio sem graça, já que eu o havia visto, poucos minutos antes, brigando com Lana. Deduzi que ele estava provavelmente esperando por ela, que os dois fariam as pazes e que provavelmente iam dar beijos de língua por todo o pedaço, então tentei acertar a combinação da fechadura do armário o mais rápido possível e cair fora dali com toda pressa para não ter que ver a sacanagem dos dois.

Mas Josh começou a *conversar* comigo. Disse: "Eu concordo, mesmo, com o que você acabou de dizer na lanchonete. Você sabe, sobre respeitar seu corpo e tudo mais. Acho que essa atitude é realmente legal."

Comecei a sentir meu rosto ardendo. Era como se eu estivesse pegando fogo. Concentrei-me em não deixar cair nada no chão, enquanto mexia nos livros dentro do armário. É uma pena que meu cabelo agora seja tão curto. Eu não podia baixar a cabeça para esconder o fato de que estava toda vermelha. "Hummm", disse eu, em um tom muito inteligente.

“Então”, disse Josh, “você vai à dança com alguém ou não?”

Deixei cair o livro de álgebra, que foi parar no outro lado do corredor. Abaixei para apanhá-lo.

“Hummmm”, disse, como maneira de responder à pergunta dele.

Eu estava de quatro, pegando velhos rascunhos que haviam caído do livro de álgebra, quando vi aqueles joelhos cobertos de flanela cinza também se dobrarem. Em seguida, o rosto de Josh ficou bem perto do meu.

“Tome”, disse ele e me entregou meu lápis predileto, o que tem um pompom de penas.

“Obrigada”, disse eu. Mas aí cometi o erro de olhar dentro daqueles olhos azuis.

“Não”, disse, desmaiando de verdade, porque foi assim que aqueles olhos dele me fizeram sentir: desmaiando. “Eu não tenho par para a dança.”

Nesse momento, o sinal tocou.

E Josh disse: “Bem, a gente se vê.” E depois foi embora.

Continuo em estado de choque.

Josh Richter *conversou* comigo. *Conversou* mesmo comigo. *Duas vezes*.

Pela primeira vez em um mês, não me importo se estou levando bomba em álgebra. Não me importo se minha mãe está namorando com um dos meus professores. Não me importo se sou a herdeira do trono de Genovia. Não me importo nem mesmo se minha melhor amiga e eu estamos brigadas.

Acho que Josh Richter pode *gostar* de mim.

DEVER DE CASA

Álgebra??? Não consigo me lembrar!!!

Inglês: ??? Perguntar a Shameeka

Civilizações Mundiais??? Perguntar a Lilly. Esqueci. Não posso perguntar a Lilly. Ela não está falando comigo

S & T: Nenhum

Francês: ???

Biologia: ???

Meu Deus, só porque talvez um cara goste de mim, eu perco totalmente a cabeça. Tenho vergonha de mim mesma.

Quinta-feira, Noite

O que Grandmère disse foi: "Bem, claro que o rapaz gosta de você. Por que não gostaria? Você está se saindo muito bem, graças às mãos mágicas de Paolo e às minhas instruções."

Meu Deus, Grandmère, obrigada. Como se fosse impossível para qualquer cara gostar de mim pelo que eu sou e não porque, de repente, viro uma princesa com um corte de cabelos de US$ 200.

Eu acho que a odeio, um pouco.

Quero dizer, sei que é errado odiar pessoas, mas eu realmente odeio um pouco minha avó. No mínimo, tenho muita antipatia por ela. Quero dizer, além do fato de que ela é inteiramente presunçosa e só pensa nela, ela também é meio mesquinha com os outros.

Como hoje à noite, por exemplo.

Grandmère resolveu que, como lição, a gente ia jantar hoje em algum lugar longe do hotel, de modo que ela pudesse me ensinar como tratar a imprensa. Só que não havia muita imprensa por perto quando nós saímos, apenas um garoto do *Tiger Beat* ou coisa parecida. Acho que todos os verdadeiros repórteres haviam ido para casa jantar. (Além disso, não tem graça para a imprensa seguir os outros às escondidas quando os outros estão prontos para isso. Só quando menos os esperamos é que eles dão as caras. É assim que eles se excitam, ou pelo menos é isso que eu acho.)

De qualquer jeito, fiquei muito feliz com isso, porque quem é que precisa da imprensa em volta, berrando perguntas e estourando flashes na nossa cara? Acredite em mim, como andam as coisas, vejo grandes explosões brilhantes em todos os lugares aonde vou.

Mas, quando eu estava entrando no carro, que Hans havia trazido para a porta do hotel, Grandmère disse: "Espere um momento", e voltou para o hotel. Pensei que ela havia esquecido a tiara ou alguma coisa assim, mas ela voltou um minuto depois, com nada diferente de antes.

Mas, quando paramos em frente ao restaurante, que era o Four Seasons, todos aqueles repórteres estavam lá! No início, pensei que alguém importante devia estar lá dentro, como Shaquille O'Neal ou Madonna, mas logo em seguida eles começaram a bater fotos de mim e a gritar "Princesa Amelia, como é crescer num lar de mãe solteira e depois descobrir que o ex de sua mãe tem trezentos milhões de dólares?" e "Princesa, que tipo de tênis de corrida você usa?".

Esqueci inteiramente meu medo dessa coisa de confrontação. Eu estava furiosa. Virei para Grandmère ainda no carro e disse: "Como foi que eles souberam que a gente estava vindo para cá?"

Grandmère apenas botou a mão na bolsa para pegar um cigarro. "Essa não, onde foi que deixei aquela droga do isqueiro?", perguntou.

"Você ligou para eles, não ligou?" Eu estava tão nervosa que nem conseguia enxergar direito. "Você ligou e disse que a gente estava vindo para cá."

"Não seja ridícula", respondeu Grandmère. "Eu não tive tempo de ligar para todas essas pessoas."

"Você não precisava ligar. Bastava ligar para um e todos os outros viriam atrás dele. Grandmère, por quê?"

Grandmère acendeu o cigarro. Odeio quando ela fuma no carro. "Esta é uma parte importante de ser uma figura da realeza, Amelia", disse ela, entre baforadas. "Você tem que aprender como tratar a imprensa. Por que você está falando comigo nesse tom?"

"Foi você quem contou tudo aquilo a Carol Fernandez." Eu disse isso inteiramente calma.

"Claro que fui eu", respondeu Grandmère, encolhendo os ombros como se dissesse "E daí?"

"Vovó", gritei, "como você pôde fazer uma coisa dessas?"

Ela pareceu inteiramente surpresa. E disse: "Não me chame de vovó."

"Estou falando sério", berrei. "Papai pensa que foi o sr. Gianini! Ele e mamãe tiveram a maior briga por causa disso. Ela disse que foi você, mas ele não acreditou."

Grandmère soltou a fumaça pelo nariz.

"Phillipe", disse ela, "sempre foi incrivelmente ingênuo."

"Neste caso", respondi, "eu vou contar a ele. Vou contar a ele a verdade."

Grandmère fez um gesto de pouco caso com a mão, como se dizendo "Tanto faz".

"Estou falando sério", ameacei, "vou contar a ele. E ele vai ficar uma fera com você, Grandmère."

"Não vai. Você precisa de treinamento, querida. Aquela matéria no *Post* foi só o começo. Em pouco tempo, você vai ser capa da *Vogue* e então..."

"Grandmère", gritei, "EU NÃO QUERO SER CAPA DA *VOGUE*! SERÁ QUE VOCÊ NÃO COMPREENDE? EU SÓ QUERO SER APROVADA NA ESCOLA!"

Grandmère pareceu um pouco chocada. "Tudo bem, querida, tudo bem. Você não precisa berrar."

Não sei quanto disso tudo adiantou alguma coisa, mas, depois do jantar, notei que todos os repórteres tinham ido para casa. Então talvez ela tenha me ouvido.

Quando cheguei em casa, encontrei o sr. Gianini, NOVAMENTE. Tive que ir ao meu quarto para ligar para papai. Eu disse: "Papai, foi vovó, não o sr. Gianini, quem contou tudo a Carol Fernandez", e ele disse "Eu sei", daquela maneira lamentosa.

"Você *sabe*?" Eu mal podia acreditar nisso. "Você *sabe*, e não disse nada?"

Ele continou: "Mia, sua avó e eu temos um relacionamento muito complicado."

Ele queria dizer que tem medo dela. Acho que não posso censurar papai, considerando o fato de que ela costumava prender ele no calabouço do castelo e tudo mais.

"Bem", disse eu, "você ainda poderia pedir desculpa à mamãe por tudo que disse sobre o sr. Gianini."

Ainda parecendo sofrer muito, ele disse: "Eu sei."

Então eu perguntei:

"E então? Vai pedir?"

Ele respondeu: "Mia..." Só nesse momento é que ele pareceu desesperado. Eu achei que já havia praticado boas ações suficientes para um dia só e desliguei.

Depois disso, fiquei sentada enquanto o sr. Gianini me ajudava com o dever de casa. Estava distraída demais por Josh Richter ter conversado comigo hoje para prestar atenção, enquanto Michael tentava me ajudar durante a aula de S & T.

Acho que consigo entender um pouco por que mamãe gosta do sr. G. Ele é OK para ficar por perto, você sabe como é, tipo assistindo à TV. Ele não fica o tempo todo com o controle remoto na mão, como alguns dos antigos namorados de mamãe. E, pelo que parece, não dá a mínima para esportes.

Uma meia hora antes de eu ir dormir, papai ligou e pediu para falar com minha mãe. Ela foi para o quarto a fim de falar com ele e, quando voltou, parecia toda satisfeita, daquele jeito lembra-se-do-que-foi-que-eu-lhe-disse?

Eu gostaria de poder contar a Lilly que Josh Richter conversou comigo.

Sexta-feira, 17 de Outubro, Inglês

OH, MEU DEUS!!!

JOSH E LANA ACABARAM O NAMORO!!!!

Não estou brincando. É só o que se fala na escola. Josh brigou com ela na noite passada, depois de um treino da equipe de remo. Eles estavam jantando juntos no Hard Rock Café, quando ele pediu que ela lhe devolvesse seu anel!!!! Lana ficou inteiramente humilhada debaixo do sutiã em forma de cone, feito para Madonna!

Eu não desejaria uma coisa dessas à minha pior inimiga.

Ela não andou rondando o armário de Josh esta manhã, como de costume. E depois eu a vi na aula de álgebra, os olhos todos vermelhos e sem rumo, os cabelos parecendo que não tinham sido escovados, quanto mais lavados, e as meias compridas soltas e folgadas nos joelhos. Eu nunca pensei que um dia veria Lana Weinberger tão desarrumada assim!!! Antes do começo da aula, ela estava no celular conversando com a Bergdorf's e tentando convencer a loja a receber de volta o vestido para a Dança da Diversidade Cultural, embora já tivesse arrancado as etiquetas. Depois, durante a aula, ela passou o tempo todo com um grande marcador riscando o nome "*Sra. Josh Richter*" que havia escrito nas capas de todos seus livros.

Aquilo foi tão deprimente. Mal consegui decompor em fatores meus números inteiros, de tão confusa que eu estava.

EU GOSTARIA DE SER

1. Tamanho 36, sutiã 46
2. Boa em matemática
3. Integrante de uma banda de rock mundialmente famosa
4. Ainda amiga de Lilly Moscovitz
5. A nova namorada de Josh Richter

Mais Sexta-feira

Você não vai acreditar no que acaba de acontecer. Eu estava guardando o livro de álgebra no armário, enquanto Josh Richter pegava suas notas de trigonometria, quando, da maneira mais natural possível, ele disse: "Ei, Mia, com quem você vai à dança amanhã?"

Nem preciso dizer que o fato de ele falar aquilo quase me fez desmaiar. E em seguida o fato de ele estar dizendo uma coisa que parecia ser uma sondagem antes de me convidar — bem, eu quase vomitei. Estou falando sério. Fiquei enjoada mesmo, mas no bom sentido.

Acho.

De alguma maneira, consegui gaguejar: "Hummm, com ninguém" e ele disse, acredite ou não:

"Bem, por que não vamos juntos?"

OH, MEU DEUS!!!!! JOSH RICHTER ME CONVIDOU PARA SAIR COM ELE!!!!!!

Fiquei tão chocada que não consegui dizer nada durante quase um minuto. Pensei que fosse ficar sem ar, como quando vi aquele documentário mostrando como as vacas viram hambúrgueres. Só consegui ficar ali e levantar a vista para ele. (Ele é tão alto!)

Mas aí aconteceu uma coisa esquisita: aquela parte minúscula do meu cérebro — a única parte que não estava perplexa por ele ter me convidado — disse para mim: ele só está convidando porque você é a Princesa de Genovia.

Estou falando sério. Foi isso o que pensei, mas apenas por um segundo.

Em seguida, esta outra parte de meu cérebro, uma parte muito maior, disse: E DAÍ?

Quero dizer, talvez ele tenha me convidado porque me respeita como ser humano e quer me conhecer melhor e talvez, apenas talvez, goste de mim, coisas desse tipo.

Isso podia acontecer.

Então a parte de meu cérebro que estava racionalizando tudo isso me levou a dizer, meio desinteressada: "Está bem, OK. Isso pode ser divertido."

Depois, Josh disse um monte de coisas sobre como ia me pegar em casa, que jantaríamos antes ou coisa assim. Mas eu quase não ouvi o que ele dizia. Porque, dentro da minha cabeça, uma voz estava dizendo:

Josh Richter acaba de convidar você para sair com ele. Josh Richter acaba de convidar VOCÊ para sair com ele. JOSH RICHTER ACABA DE CONVIDAR VOCÊ PARA SAIR COM ELE!!!!

Acho que morri e que fui para o céu. Porque isso aconteceu. Finalmente, tinha acontecido: Josh Richter tinha, finalmente, olhado dentro da minha alma e visto a verdadeira eu, a que existe atrás dos peitos que eu não tenho. E DEPOIS ELE ME CONVIDOU PARA SAIR COM ELE.

Nesse momento, o sinal tocou e Josh foi embora. Continuei parada ali, até que Lars cutucou meu braço.

Não sei qual é o problema de Lars. Sei que ele não é meu secretário particular.

Mas graças a Deus ele estava ali, ou eu nunca teria sabido que Josh estava me convidando para amanhã à noite, às sete. Vou ter que aprender a não ficar tão chocada assim na próxima vez ou nunca vou aprender a controlar essa coisa de sair com um rapaz.

COISAS A FAZER (NUNCA TENDO SIDO CONVIDADA ANTES PARA SAIR COM UM RAPAZ, NÃO TENHO MUITA CERTEZA DO QUE DEVO FAZER)

1. Arranjar um vestido
2. Arrumar o cabelo
3. Mandar consertar as unhas (deixar de roer as postiças)

Sexta-feira, S & T

Tudo bem, não sei quem Lilly Moscovitz pensa que é. Em primeiro lugar, ela deixa de falar comigo. Depois, quando resolve falar, é apenas para me criticar ainda mais. Que direito ela tem, é o que estou perguntando, de arrasar meu par para a Dança da Diversidade Cultural? Quero dizer, ela vai com Boris Pelkowski. *Boris Pelkowski*. Isso mesmo, ele pode ser um gênio musical, mas continua a ser Boris Pelkowski.

E o que Lilly disse foi: "Eu pelo menos sei que Boris *não* está se recuperando de um trauma."

Dá licença. Josh Richter *não* está se recuperando de um trauma. Ele e Lana já estavam brigados há exatamente 16 horas inteiras antes de ele me convidar para sair com ele.

E Lilly continua: "Além do mais, Boris não toma *drogas*."

Juro que, para uma pessoa tão inteligente, Lilly cai como um patinho nesses boatos e insinuações. Perguntei se ela já tinha visto Josh tomar drogas. E o que foi que ela fez? Me olhou sarcasticamente.

Mas, na verdade, se a gente pensar bem, não há *prova* nenhuma de que Josh use drogas. Ele realmente anda com a turma da droga, mas, espera aí, Tina Hakim Baba anda com uma princesa e isso não *a* torna princesa.

Mas Lilly não gostou desse argumento. E disse: "Você está super-racionalizando. Sempre que você super-racionaliza, Mia, eu sei que você está preocupada."

Eu *não* estou preocupada. Vou à maior dança do semestre com o rapaz mais atraente, mais sensível da escola, e nada que alguém possa fazer ou dizer vai me fazer sentir mal a esse respeito.

Exceto que me dá uma sensação esquisita ver Lana parecer tão triste e Josh se portando como se não desse a mínima bola para isso. Hoje, ele e sua turma sentaram-se comigo e com Tina, enquanto Lana e sua turma se sentaram com outras animadoras de torcida. Aquilo tudo foi tão estranho. Além do mais, nem Josh nem nenhum de seus amigos conversaram comigo ou com Tina. Eles apenas conversaram entre si. O que não incomodou em nada Tina, mas acho que me chateou um pouco. Principalmente porque Lana fazia tanta força para não olhar para nossa mesa.

Tina não disse nada de ruim sobre Josh quando contei a ela a novidade. Ela ficou apenas muito empolgada e disse que mais tarde, quando eu for passar a noite na casa dela, poderemos experimentar várias roupas e penteados para ver o que ficará melhor para a noite de amanhã. Bem, eu não tenho muito cabelo para experimentar, mas podemos fazer isso com o cabelo dela. Na verdade, Tina está quase tão animada quanto eu. Ela é uma amiga muito mais compreensiva do que Lilly, que disse, muito sarcástica, quando ouviu falar nisso: "Aonde é que ele vai levar você para jantar? Ao Harley-Davidson Café?"

Respondi: "Não", com grande sarcasmo. "Tavern on the Green."

E Lilly disse: "Oh, mas que falta de imaginação."

Nesse momento, Michael, que tinha estado muito calado (para ele) durante toda a aula, olhou para Lars e perguntou: "Você vai também, certo?"

E Lars respondeu: "Oh, sim." E os dois se entreolharam daquela maneira irritante como homens às vezes se entreolham, como se tivessem um segredo. Você sabe, no sexto ano, quando mandam todas as meninas passar para outra sala e assistir a um vídeo sobre menstruação e coisas assim? Aposto que, enquanto a gente estava na outra sala, os garotos estavam na deles assistindo a um vídeo sobre como se entreolharem dessa maneira irritante.

Ou talvez assistindo a um desenho animado ou coisa parecida.

Mas, agora que estou pensando nisso, Josh está desrespeitando Lana. Quero dizer, ele provavelmente não devia ter convidado outra garota tão cedo assim depois de acabar com ela — pelo menos não para um lugar aonde ele ia antes com ela. Entendeu o que eu quero dizer? Eu me sinto meio mal a respeito de tudo isso.

Mas não mal demais para não ir.

DE AGORA EM DIANTE

1. Serei mais boazinha com todo mundo, até com Lana Weinberger
2. Nunca mais vou roer as unhas, mesmo as postiças
3. Escreverei fielmente neste diário todos os dias.
4. Deixarei de assistir às velhas reprises de *Baywatch* e usarei sensatamente meu tempo, por exemplo, estudando álgebra, melhorando o meio ambiente ou coisa assim.

Noite de Sexta-feira

Lição mais curta com Grandmère hoje, porque vou passar a noite na casa de Tina. Grandmère praticamente esqueceu que gritei com ela ontem por causa da imprensa. Estava mesmo era preocupada em me ajudar a escolher o que vou usar amanhã à noite, exatamente como eu imaginava. Ligou para a Chanel e marcou um horário amanhã para escolher alguma coisa. Tem que ser uma coisa urgente e vai custar uma fortuna, mas ela diz que não se importa. Será meu primeiro evento oficial como representante de Genovia e eu vou ter que "brilhar" (palavra dela, não minha).

Lembrei a ela que seria uma festa de escola, não um baile de inauguração ou coisa parecida e que não era nem um baile oficial da escola, simplesmente uma dança idiota para homenagear os vários grupos sociais e culturais que estudam na escola Albert Einstein. Mas Grandmère ainda assim ficou toda agitada e continuou a se preocupar, dizendo que não haveria tempo para pintar os sapatos a fim de combinar com o vestido.

Há muitas coisas sobre ser mulher que nunca entendi. Como sapato ter que combinar com vestido. Eu não sabia que isso era tão importante assim.

Mas Tina Hakim Baba certamente sabia. Vocês deviam ver o quarto dela. Ela deve possuir todas as revistas femininas já publicadas. Estão organizadas em estantes por toda parte em volta do quarto que, por falar nisso, é enorme e cor-de-rosa, muito parecido com o resto do apartamento, que ocupa todo o último andar do prédio. A gente aperta C no elevador e ele se abre no vestíbulo de mármore dos Hakim Baba, que realmente tem uma fonte, só que a gente não deve jogar moedinhas ali dentro, pelo que descobri.

Depois da entrada, só há quartos, quartos e mais quartos. Eles têm arrumadeira, cozinheira, babá e motorista, todos morando ali. Então você pode imaginar quantos quartos há no apartamento, fora o fato de que Tina tem três irmãs mais novas e um irmãozinho, e cada um deles tem seu próprio quarto.

O quarto de Tina tem uma televisão de 37 polegadas com um PlayStation. Em comparação com ela, vejo agora que estive levando uma vida de simplicidade monástica.

Algumas pessoas têm toda a sorte do mundo.

De qualquer maneira, Tina é muito diferente em casa do que é na escola. Em casa, ela é muito animada e extrovertida. Os pais dela também são muito legais. O sr. Hakim Baba é muito engraçado. Ele teve um enfarte no ano passado e não pode comer praticamente nada, a não ser legumes e arroz. Tem que perder mais de 10 kg. Passou o tempo todo beliscando no meu braço e dizendo: "Como é que você consegue ficar tão magra assim?" Falei a ele sobre meu vegetarianismo rigoroso e ele disse "Oh", e se pôs a tremer todo. A cozinheira dos Baba tem ordem de só preparar refeições vegetarianas, o que é bom para mim. Comemos cuscuz e gulache de legumes. Tudo gostosíssimo.

A sra. Hakim Baba é bonita, mas de uma maneira diferente de mamãe. Ela é britânica e muito loura. Acho que se sente muito entediada por morar aqui na América e não ter um emprego. Ela era modelo, mas abandonou a profissão quando casou. Agora não conhece mais toda aquela gente interessante que conhecia quando trabalhava. Uma vez, ela se hospedou no mesmo hotel onde estavam a Princesa Diana e o Príncipe Charles. Ela disse que os dois dormiam em quartos separados. E isso na lua de mel!

As coisas não podiam mesmo dar certo entre eles.

A sra. Hakim Baba é tão alta quanto eu, o que a torna uns 12 centímetros mais alta do que o sr. Hakim Baba. Mas não acho que ele ligue para isso.

As irmãs e o irmãozinho de Tina são umas gracinhas. Depois de tirar de ordem todas as revistas de moda, pesquisando estilos de penteados, experimentamos alguns deles nas irmãs dela. Elas ficaram bem engraçadinhas. Em seguida, colocamos brincos no irmãozinho e fizemos um trabalho de manicure francesa nele igual ao meu, ele ficou todo agitado, vestiu sua fantasia de Batman e saiu correndo aos gritos por todo o apartamento. Achei que ele ficou bonitinho, mas o sr. e a sra. Hakim não acharam graça. Mandaram a babá colocar Bobby Hakim Baba na cama logo depois do jantar.

Em seguida, Tina me mostrou o vestido que vai usar amanhã. É um Nicole Miller, lindo de morrer, parecendo espuma do mar. Tina Hakim Baba se parece muito mais com uma princesa do que eu jamais conseguirei parecer.

Aí chegou a hora do programa *Lilly Tells It Like It Is*, que vai ao ar nas sextas-feiras, às nove. Era o episódio que denuncia o racismo injusto da Ho's Deli, filmado antes de Lilly mandar suspender o boicote, por falta de apoio. Era uma peça de jornalismo investigativo muito dura, e posso dizer isso sem me promover, porque não tomei parte na preparação do programa. Se o *Lilly Tells It Like It Is* um dia entrasse em rede, aposto que conseguiria uma audiência tão alta quanto o *Sixty Minutes*.

No fim, Lilly apareceu em cena e apresentou um quadro, que deve ter filmado na noite anterior, com uma câmera montada num tripé em seu próprio quarto. Mostra ela sentada na cama, dizendo que o racismo é uma poderosíssima força do mal, que todos nós temos que combater. Disse que mesmo que pagar cinco centavos a mais por um comprimido de ginkgo biloba possa não parecer grande coisa para algumas pessoas, vítimas de racismo violento, como os armênios, ruandenses, ugandenses e bósnios reconheceriam logo que cinco centavos são apenas o primeiro passo na estrada do genocídio. E continuou dizendo que, por causa de sua posição corajosa contra os Ho, havia hoje um pouco mais de justiça ao lado do que é certo.

Não tenho opinião sobre isso, mas comecei a sentir um pouco de saudade dela quando ela mexeu os pés, calçados com pantufas imitando garras de urso, como uma homenagem a Norman. Tina é uma amiga divertida e tal, mas conheço Lilly desde o jardim de infância. É meio difícil esquecer isso.

Ficamos acordadas até bem tarde, lendo os romances adolescentes da Tina. Juro que não havia nenhum em que o rapaz acabasse com a garota metida a esnobe e começasse a namorar imediatamente com a heroína. Ele, geralmente, esperava pelo momento certo, como o verão ou pelo menos um fim de semana, antes de convidar ela para sair. Os únicos em que o cara começou imediatamente a namorar com a heroína eram aqueles em que ele a estava usando para se vingar ou coisa assim.

Mas então Tina disse que, embora adore ler esses livros, nunca os encara como um guia para a vida real. Por que quantas vezes na vida uma pessoa fica com amnésia? E quantos jovens e bonitos terroristas europeus fazem reféns no vestiário das meninas? E se fizessem, não seria no dia em que elas estivessem usando calcinhas e sutiãs rotos, com furos e elástico frouxo, ou sutiã que não combina, e não uma camisola de seda cor-de-rosa e calcinha tapa-sexo como a heroína daquele livro?

Ela tem um bom argumento.

Tina está desligando a luz agora porque está cansada. Que bom. Este dia foi bem longo.

Sábado, 18 de Outubro

Quando cheguei em casa, a primeira coisa que fiz foi ir à secretária eletrônica para ver se Josh havia telefonado, cancelando o convite.

Não havia.

Mas o sr. Gianini estava lá (claro). Desta vez, ele usava calça, graças a Deus. Quando me ouviu perguntar a mamãe se um rapaz chamado Josh tinha telefonado, ele perguntou: "Você não está se referindo a Josh Richter, está?"

Eu fiquei meio irritada, porque pelo tom de voz ele parecia... não sei. Chocado ou algo parecido.

Respondi: "Estou, sim. Estou falando de Josh Richter. Ele e eu vamos juntos hoje à noite à Dança da Diversidade Cultural."

O sr. Gianini arregalou os olhos. "O que foi que aconteceu com aquela menina, a Weinberger?"

É meio chato ter uma mãe que está namorando com um professor da nossa escola. Mas respondi: "Eles acabaram."

Mamãe estava olhando a gente com toda atenção, o que não é típico dela, já que, na maior parte do tempo, vive num mundo particular. E disse: "Quem é esse Josh Richter?"

E eu disse: "Apenas o garoto mais bonito e mais sensível de toda a escola."

O sr. Gianini fez um barulho e disse: "Bem, com certeza, o mais popular."

E minha mãe perguntou, bastante surpresa: "E ele convidou Mia para a dança?"

Não preciso nem dizer que isso não foi nada agradável. Quando a nossa própria mãe acha que é esquisito que o rapaz mais bonito e mais popular da escola convide a filha para uma dança, sabemos que há algum problema.

"Convidou", respondi, em tom defensivo.

"Não estou gostando nada disso", observou o sr. Gianini. E quando minha mãe perguntou a ele por quê, ele respondeu: "Porque eu conheço Josh Richter."

Mamãe se precocupou: "Ahn, oh! Não gostei desse tom", e antes que eu pudesse dizer alguma coisa em defesa de Josh, o sr. Gianini continuou: "Esse garoto está correndo a cento e sessenta quilômetros por hora", o que nem mesmo fazia sentido.

Pelo menos não até mamãe observar que, como eu só corria a oito quilômetros por hora (OITO), ela ia ter que consultar meu pai "sobre isso".

Alô? Consultar meu pai sobre o quê? O que é que eu sou, um carro com cinto de segurança defeituoso? Que história é essa de oito quilômetros por hora?

"Ele é veloz, Mia", traduziu o sr. Gianini.

Veloz? VELOZ? Em que época nós estamos, na década de 50? De repente, Josh Richter passou a ser um rebelde sem causa?

E mamãe disse, enquanto discava o número de telefone do papai no Plaza: "Você é apenas uma caloura. Não deveria, de qualquer modo, sair com veteranos."

Já viram coisa mais injusta do que ISSO? Eu finalmente recebo um convite e, de repente, meus pais se transformam em Mike e Carol Brady? Quero dizer, dá um tempo!

Eu estava ali, escutando papai e mamãe conversando no viva-voz, os dois dizendo que pensam que sou jovem demais para namorar e que NÃO DEVO NAMORAR, porque estes dias têm sido muito estressantes para mim, com essa de descobrir que sou princesa e tal. E estavam planejando todo o resto de minha vida (nada de namorar até os 18 anos, dormitório só de moças na faculdade etc.) quando disparou a campainha do interfone do sótão e o sr. Gianini foi atender. Quando perguntou quem era, uma voz muito conhecida disse: "Clarisse Marie Grimaldi Renaldo. Quem *é que está* falando?'

Do outro lado da sala, minha mãe deixou cair o telefone. Era Grandmère. Grandmère tinha vindo ao sótão!

Eu nunca em minha vida pensei que seria grata a Grandmère por alguma coisa. Nunca pensei que sentiria prazer em vê-la. Mas quando ela apareceu no sótão para me levar às compras, eu poderia ter dado um beijo nela — até nas duas bochechas —, poderia, de verdade. Porque quando fui recebê-la à porta, o que eu disse foi: "Grandmère, eles não me deixam ir à dança!"

Esqueci que Grandmère nunca havia estado ali antes. Esqueci que o sr. Gianini estava ali. Tudo em que eu conseguia pensar era que meus pais estavam tentando acabar com Josh. Grandmère resolveria isso, eu sabia.

E, cara, como ela resolveu!

Entrou feito uma tempestade, lançando um olhar que era só veneno ao sr. Gianini — "Esse aí é *ele*?" parou o tempo suficiente para perguntar e, quando eu disse que era, ela fez aquele som de desprezo e passou direto por ele — e ouviu papai falando no viva-voz. E berrou "Dê-me esse telefone" para minha mãe, que pareceu uma menina pega dando calote no ônibus.

"Mamãe?", perguntou meu pai no viva-voz com um grito. A gente percebia que ele estava tão chocado quanto mamãe. "É você? O que é que *você* está fazendo aí?"

Para alguém que diz que não quer saber dessas tecnologias modernas, Grandmère sabia direitinho como operar aquele viva-voz. Desligou o negócio, arrancou o fone da mão de minha mãe e começou a falar: "Ouça aqui, Phillipe", disse. "Sua filha vai à dança com o *beau* dela. Percorri cinquenta e sete quadras de limusine para levá-la para comprar um vestido novo e se você pensa que eu não vou vê-la dançar dentro dele, então você pode ir direto para..."

E, então, minha avó usou umas palavras bem pesadas. Mas, como falou em francês, só papai e eu entendemos. Minha mãe e o sr. Gianini ficaram simplesmente parados onde estavam. Minha mãe parecia furiosa. O sr. Gianini, nervoso.

Depois de dizer a meu pai aonde ele poderia ir, minha avó bateu o telefone e só então olhou em volta. Vamos apenas dizer que Grandmère nunca foi pessoa de esconder o que pensa, por isso não fiquei surpresa quando ela disse em seguida: "É *este* o lugar onde a princesa de Genovia foi criada? Neste... *galpão*?"

Bem, se ela tivesse acendido uma bombinha embaixo dos pés de minha mãe, mamãe não ficaria mais irritada.

"Agora, escute aqui, Clarisse", disse ela batendo duro no chão com seus Birkenstocks, "não ouse me dizer como criar minha filha!

Phillipe e eu resolvemos que ela não vai sair com aquele rapaz. Você não pode simplesmente entrar aqui e..."

"Amelia", disse minha avó, "vá pegar seu casaco."

Fui. Quando voltei, o rosto da minha mãe estava vermelho, vermelho mesmo, enquanto o sr. Gianini olhava pro chão. Mas nenhum deles soltou um pio quando Grandmère e eu saímos do sótão.

Uma vez do lado de fora, eu estava tão agitada que mal pude aguentar. "Grandmère!", gritei. "O que foi que você disse a eles? O que foi que você disse, para eles deixarem eu ir à festa?"

Mas Grandmère apenas sorriu daquele jeito sinistro e respondeu: "Eu tenho minhas maneiras."

Menina, naquela hora, nunca poderia odiar ela.

Mais Sábado

Bem, aqui estou eu, sentada, usando meu vestido novo, meus sapatos novos, minhas unhas novas, minha meia-calça nova, com minhas pernas e axilas devidamente depiladas, meu novo cabelo, meu rosto maquiado profissionalmente, são sete horas, não há sinal de Josh e estou começando a pensar que talvez toda esta coisa tenha sido uma piada, como naquele filme, *Carrie*, que é assustador demais para eu assistir, mas que Michael Moscovitz alugou uma vez, e depois contou tudo para mim e Lilly: aquela moça feia é convidada para uma dança pelo garoto mais popular da escola, para que ele e seus amigos populares possam derramar sangue de porco em cima dela. Só que ele não sabe que Carrie tem poderes psíquicos e, no fim da noite, ela mata todo mundo na cidade, incluindo a primeira esposa de Steven Spielberg e a mãe de *Eight Is Enough*.

O problema é que eu, claro, não tenho poderes psíquicos, então se Josh e seus amigos derramarem sangue de porco em cima de mim, não poderei matar todos eles. Quero dizer, a menos que eu chame a Guarda Nacional genoviana. Mas isso seria difícil, uma vez que Genovia não tem Força Aérea nem Marinha de Guerra, então, como os guardas iam chegar aqui? Eles teriam que vir em voo comercial e custa UMA NOTA comprar passagens em cima da hora. Duvido que meu pai aprovasse esse gasto exorbitante de fundos do governo — especialmente pelo que ele, na certa, consideraria motivos frívolos.

Mas se Josh Richter furar comigo, pode ter certeza, eu *não* terei uma reação frívola. Mandei depilar minhas PERNAS com cera quente por causa dele. OK? Se você acha que isso não dói, pense em passar cera quente nos SOVACOS, o que eu também fiz por ele. OK? Esse troço de cera quente DÓI. Eu quase comecei a chorar, de tanto que doeu. Então não ME diga que não podemos chamar a Guarda Nacional genoviana, se ele furar.

Sei que papai pensa que Josh me deu o bolo. Ele está sentado à mesa da cozinha agora mesmo, fingindo ler o *TV Guide*. Mas vejo o tempo todo ele olhando o relógio. Mamãe, também. Só que ela nunca usa relógio, por isso continua espiando disfarçadamente o relógio de gato piscando na parede.

Lars também está aqui. Mas não está olhando para o relógio. O que ele faz é examinar o carregador da pistola para certificar-se de que tem balas suficientes. Acho que papai disse a ele para atirar no Josh, se ele der uma de mão-boba pra cima de mim.

Oh, sim, papai disse que posso sair com Josh, mas apenas se Lars também for. Isso não é um grande problema, porque sempre achei que ele fosse de qualquer jeito. Mas fingi ficar uma fera com isso, para que ele não pensasse que eu estava levando tudo numa boa. Quero dizer, ELE está na MAIOR FRIA com Grandmère. Ela me disse, quando eu estava experimentando o vestido, que papai sempre teve um problema com compromissos com alguém e que o motivo por que não quer que eu saia com Josh é que ele não vai aguentar me ver mofando, da mesma maneira que ele fez com incontáveis modelos em todo o mundo.

Deus! Aceite o pior. Por que não aceita, papai?

Josh não pode furar. Ele nunca saiu comigo ainda.

E se ele não aparecer logo, bem, tudo que vou dizer é: AZAR DELE. Eu pareço mais bonita do que nunca na minha vida. A velha Coco Chanel realmente se superou, meu vestido é QUENTE, de seda azul-claro, todo cheio de dobras em cima, como uma sanfona, disfarçando minha ausência de peito, depois reto e fino até embaixo, até os sapatos de salto da mesma cor. Acho que pareço um pingente de gelo, mas, segundo as mulheres da Chanel, este é o look do novo milênio. Pingentes de gelo são *in*.

O único problema é que não posso acariciar Fat Louie ou vou ficar com pelo alaranjado de gato no vestido. Ele está sentado ao meu lado no sofá, parecendo todo triste porque não estou alisando ele. Escondi todas as minhas meias, para o caso de ele querer me castigar, ou alguma coisa parecida, comendo uma delas.

Meu pai acabou de olhar no relógio e disse: "Hummm. Sete e quinze. Não posso elogiar muito a pontualidade desse rapaz."

Fiz força para permanecer calma. "Tenho certeza de que o trânsito está congestionado", disse com uma voz tão principesca quanto pude.

"Tenho certeza disso", concordou papai. Mas não parecia muito triste. "Bem, Mia, a gente ainda pode ir assistir a *A Bela e a Fera*, se você quiser. Tenho certeza de que posso conseguir..."

"Papai!", exclamei, horrorizada. "Eu NÃO vou assistir a *A Bela e a Fera* com você hoje à noite."

Aí ele pareceu triste. "Mas você adorava *A Bela e a Fera*..."

GRAÇAS A DEUS o interfone tocou nesse momento. É ele. Minha mãe disse para ele subir. A outra exigência, antes de meu pai me deixar ir, é que, além de Lars ir também, Josh tem que conhecer meus pais — e, provavelmente, mostrar prova de identidade, embora eu não tenha certeza de que papai já tenha pensado nisso.

Vou ter que deixar este diário aqui, porque não há lugar para ele na "caixinha", que é o nome da minha bolsa pequena e achatada.

Oh, meu Deus, como minhas mãos estão suando! Eu devia ter dado atenção a Grandmère quando ela sugeriu aquelas luvas até os cotovelos...

Sábado à Noite, Banheiro Feminino, Tavern on the Green

OK, eu menti. Acabei trazendo este diário. Mandei Lars carregar ele. Bem, não parece que falte espaço naquela pasta que ele carrega para todo lugar. Sei que ela está cheia de silenciadores, granadas e coisas assim, mas eu tinha certeza de que ele podia arrumar espaço para um diariozinho de nada.

E eu estava certa.

Então estou no banheiro feminino do Tavern on the Green. O banheiro aqui não é tão chique como o do Plaza. Não há um banquinho aqui no reservado, por isso estou sentada no vaso, com a tampa abaixada. Posso ver um monte de pés de mulheres se movendo do lado de fora da porta. Há muitas mulheres gordas por aqui, a maioria para este casamento entre uma moça de cabelos escuros, parecendo italiana, que precisa de uma boa depilação com cera nas sobrancelhas, e um ruivo magrelo chamado Fergus. Fergus me deu uma olhada esquisita quando entrei na sala de jantar. Não estou brincando. Meu primeiro homem casado, mesmo que ele só esteja casado há uma hora e pareça ter minha idade. Este vestido é UMA LOUCURA!

Mas o jantar não foi tão espetacular como eu esperava. Quero dizer, aprendi com Grandmère que garfo usar e tudo aquilo, e a inclinar o prato de sopa longe de mim, mas não é disso que estou falando.

Estou falando do Josh.

Não me entenda mal. Ele fica um gato em seu smoking. Ele me disse que é dele mesmo. No ano passado, ele acompanhou a namorada, antes da Lana, a todas as festas de debutante da cidade, essa garota antes da Lana é parente do cara que inventou aqueles sacos plásticos em que a gente põe as verduras quando faz compras no supermercado. Só que os dele foram os primeiros a dizer ABRA AQUI, para a gente saber que lado devia tentar abrir. Essas duas palavrinhas deram ao cara meio bilhão de dólares. É o que Josh diz.

Não sei por que ele me contou isso. Devo ficar impressionada com alguma coisa que o pai de sua ex fez? Ele não está sendo muito sensível, para dizer a verdade.

Mesmo assim, ele se comportou realmente bem com meus pais. Entrou, me deu um buquê de flores (rosas brancas pequenininhas amarradas com uma fita cor-de-rosa, maravilhosas, deve ter custado a ele uns dez dólares pelo menos — embora eu não pudesse deixar de pensar que ele as tinha escolhido inicialmente para outra garota, com um vestido de cor diferente), apertou a mão de meu pai e disse: "É um prazer conhecer Vossa Alteza", o que fez minha mãe começar a rir bem alto. Ela pode ser tão inconveniente às vezes.

Depois, ele se virou para minha mãe e disse: "A senhora é a mãe de Mia? Oh, pensei que fosse uma irmã dela, aluna da faculdade", o que era uma coisa totalmente boba de dizer, mas minha mãe realmente engoliu, eu acho. Ela ficou TODA VERMELHA quando ele apertou sua mão. Acho que não sou a única Thermopolis a cair sob o encanto dos olhos azuis de Josh.

Depois, meu pai tossiu e começou a fazer um monte de perguntas a Josh sobre o tipo de carro que ele estava usando (o BMW do pai dele), onde nós íamos (dã) e a que hora iríamos voltar (a tempo de pegar o café da manhã, disse Josh). Meu pai não gostou dessa e Josh corrigiu: "A que horas quer que ela esteja de volta, sir?"

SIR! Josh Richter chamou meu pai de SIR!

Papai olhou para Lars e disse: "Uma da manhã, o mais tardar", o que ele achou que era muito generoso, já que meu limite é de onze horas nos fins de semana. Claro, considerando que Lars ia estar presente e que nenhum mal poderia nos acontecer, era meio cretino que eu não pudesse ficar até tão tarde quanto quisesse, mas Grandmère me disse que uma princesa devia estar sempre preparada para uma solução conciliatória, então fiquei calada.

Depois, meu pai fez mais perguntas a Josh, como em que faculdade ele queria estudar no outono (Josh ainda não escolheu, mas está se candidatando às melhores faculdades) e o que ele pensa em estudar (administração de empresas), e em seguida minha mãe perguntou o que havia de errado com um curso na área de ciências humanas, e Josh respondeu que pretendia obter um diploma que lhe garantisse um salário mínimo de 80 mil dólares por ano, ao que minha mãe replicou que há coisas mais importantes do que dinheiro, e eu então disse "Pô, olhe só a hora", peguei Josh pelo braço e levei ele para a porta.

Josh, Lars e eu fomos para o carro do pai de Josh. Josh abriu para mim a porta da frente e, em seguida, Lars perguntou se não podia dirigir, para que Josh pudesse se sentar atrás e nos conhecêssemos melhor. Achei isso muito legal da parte de Lars, mas, quando

Josh e eu nos sentamos atrás, não tivemos muita coisa para dizer um ao outro. Quero dizer, Josh disse "Você está muito bem nesse vestido" e eu disse que gostava do smoking dele e agradeci o buquê. Depois, a gente não disse mais nada por uns 20 quarteirões.

Não estou nem brincando. Eu estava tão sem graça! Quero dizer, eu não me dou muito bem com rapazes, mas nunca tive problema com aqueles com quem me dou. Quero dizer, Michael Moscovitz praticamente não cala a boca. Eu não entendia por que Josh não estava DIZENDO nada. Pensei em perguntar a ele com quem ele gostaria de passar à eternidade, se o mundo acabasse e ele tivesse que escolher, Winona Ryder ou Nicole Kidman, mas achei que não o conhecia o suficiente...

Mas, finalmente, ele quebrou o silêncio, perguntando se era verdade que mamãe estava namorando com o sr. Gianini. Bem, eu devia ter esperado que isso se espalhasse. Talvez não tanto quanto eu ser princesa, mas tinha se espalhado, disso não havia dúvida.

Então eu disse que sim, era verdade, e ele quis saber como era isso.

Mas, por alguma razão, não pude dizer a ele que vi o sr. G de cueca na mesa da nossa cozinha. Isso simplesmente não parecia... não sei. Eu simplesmente não pude contar a ele. Não é engraçado isso? Contei a Michael Moscovitz sem ele sequer pedir. Mas não podia contar a Josh, embora ele tivesse olhado dentro da minha alma e tudo mais. Esquisito, não?

Depois do que pareceu mais um zilhão de quadras de silêncio, paramos na frente do restaurante. Lars entregou o carro ao manobrista e Josh e eu entramos (Lars prometeu que não ia jantar com a gente. Disse que ficaria apenas na porta e que olharia com cara de mau, como Arnold Schwarzenegger, para todo mundo que chegasse), e aconteceu de toda a turma de Josh encontrar com a gente ali, o que eu não sabia, mas que mais ou menos me aliviou. Quero dizer, eu estava meio com medo de ficar ali sentada mais uma hora sem nada pra dizer...

Mas, graças a Deus, os caras da equipe de remo dele já ocupavam uma grande mesa com suas namoradas da torcida. Na cabeceira da mesa havia dois lugares vazios, um para Josh e o outro para mim.

Tenho que dizer que todo mundo foi muito legal. Todas as meninas elogiaram meu vestido e fizeram perguntas sobre ser princesa, como qual era a sensação de acordar um dia e ver a cara na primeira página do *Post*, e se eu já tinha botado uma coroa na cabeça e coisas assim. Todas elas são muito mais velhas do que eu — algumas são veteranas —, então são muito maduras. Nenhuma delas comentou que não tenho peito ou algo parecido, como Lana teria feito, se estivesse aqui.

Mas, também, se Lana estivesse aqui, eu não estaria.

O que mais me surpreendeu foi que Josh pediu champanhe e ninguém pediu para ver a carteira de identidade dele que, obviamente, era falsa. Na mesa já havia três garrafas e Josh continuou pedindo mais, já que o pai lhe dera um cartão de crédito especial da American Express para a ocasião. Eu só não entendi uma coisa. Será que os garçons não conseguem ver que ele só tem 18 anos e que a maioria de seus convidados é ainda mais nova do que ele?

E como Josh pode ficar ali bebendo tanto? E se Lars não estivesse aqui para dirigir? Josh levaria o BMW do pai meio bêbado. Até que ponto uma pessoa pode ser irresponsável? E Josh é o orador oficial da turma!

Em seguida, sem me perguntar, Josh pediu o jantar para toda a mesa: filé mignon para todo mundo. Acho que isso foi legal e tal, mas eu não como carne, nem pelo cara mais sensível do mundo.

E ele sequer notava que eu não tocava na comida! Tive que ficar comendo apenas salada e pãozinho para não morrer de fome.

Talvez eu pudesse dar uma saidinha e pedir a Lars para comprar um sanduíche vegetariano no Emerald Planet.

E o engraçado é que, quanto mais champanhe bebia, mais Josh tocava em mim. Tipo botando a mão na minha perna por baixo da mesa. No começo, pensei que ele estivesse fazendo sem querer, mas agora já foram quatro vezes. Na última vez, ele até apertou!

Não acho que ele esteja exatamente bêbado, mas está certamente mais carinhoso do que na vinda de carro até aqui. Talvez ele esteja apenas se sentindo menos inibido, sem Lars seguindo a gente, a meio metro de distância.

Bem, eu acho que devo voltar aqui. Eu só gostaria que Josh tivesse me avisado antes que a gente ia se encontrar com seus amigos. Aí, eu poderia ter convidado Tina Hakim Baba e o namorado dela — ou mesmo Lilly e Boris. Eu pelo menos teria algumas pessoas divertidas com quem conversar.

Oh, bem. Até agora, nada.

Mais Tarde na Noite de Sábado, Banheiro das Meninas, Escola Albert Einstein

Por quê?

Por quê??

Por quê???

Não posso nem acreditar que isso esteja acontecendo. Não posso acreditar que esteja acontecendo COMIGO!

POR QUÊ? POR QUE EU? POR QUE É SEMPRE A MIM que acontecem essas coisas???

Estou tentando me lembrar do que Grandmère me disse sobre agir sob pressão. Porque estou, com certeza, sob pressão. Continuo tentando inspirar pelo nariz, expirar pela boca, como Grandmère me ensinou. Pra dentro pelo nariz, pra fora pela boca. Pra dentro pelo nariz, pra fora pela boca...

COMO ELE PÔDE FAZER ISSO COMIGO? COMO, COMO, COMO????!!!

Eu podia arrebentar aquele rosto imbecil com as unhas. Eu podia mesmo. Quero dizer, quem ele pensa que é? Sabe o que foi que ele fez? Sabe o que foi que ele fez? Deixa eu contar o que ele fez.

Depois de esvaziar NOVE garrafas de champanhe — praticamente uma garrafa por pessoa, sendo que eu apenas dei um golinho, então alguém bebeu a própria garrafa e a minha também — Josh e a turma acharam que estava na hora de ir para a dança. Oh, deixe eu ver, a dança devia ter começado uma HORA antes. Já era mais do que TEMPO de a gente se mandar para a escola.

Então a gente saiu e, enquanto esperava que o manobreiro trouxesse o carro, eu pensava que talvez tudo corresse bem, já que Josh colocou o braço sobre meus ombros, o que foi realmente legal, porque meu vestido não tinha mangas e, mesmo que eu usasse um xale, era do tipo transparente. Por isso gostei do braço dele ali, me mantendo aquecida. O braço dele é bonito, muito musculoso de tanto remar. O único problema é que Josh não cheira tão bem, nem um pouco parecido com Michael Moscovitz, que sempre tem cheirinho de sabonete. Não, acho que Josh deve ter tomado um banho de Drakkar Noir, que em grande quantidade deixa um cheiro muito enjoado. Eu mal conseguia respirar. Apesar disso, eu estava pensando, OK, as coisas não são tão ruins assim. É verdade que ele não respeitou meus direitos de vegetariana, mas, você sabe, pessoas cometem erros. Nós vamos para a dança, ele vai olhar novamente dentro da minha alma com aqueles olhos azuis elétricos e tudo vai ficar bem.

Cara, como eu me enganei.

Em primeiro lugar, quase não conseguimos chegar à escola, tamanha a confusão. No início, não entendi aquilo. Sim, era noite de sábado, mas não devia haver tanto movimento assim em frente à Albert Einstein, certo? Quero dizer, é apenas uma festa de escola. A maioria dos garotos de Nova York nem pode dirigir, certo? Nós fomos praticamente as únicas pessoas que chegaram de carro à Albert Einstein.

Mas aí entendi por que havia tanta confusão. Havia furgões da mídia estacionados por toda parte. Ligaram aqueles holofotes na escada da Albert Einstein e havia repórteres por todos os lados, fumando cigarros, falando em telefones celulares, esperando.

Esperando o quê?

Esperando por mim, claro.

Logo que Lars viu aquelas luzes, começou a dizer palavrões em alguma língua que não era inglês nem francês. Mas, pelo tom de voz, a gente sabia que eram palavras pesadas. Cheguei para a frente e perguntei: "Como eles descobriram? Como eles descobriram? Será que Grandmère contou?"

Mas, verdade, eu realmente não pensei que Grandmère tivesse feito uma coisa dessas. Realmente não. Não, depois da nossa conversa. Eu disse a ela exatamente o que pensava. Avancei nela como um policial de Nova York sobre um jogo de cartas. Grandmère NUNCA MAIS, com certeza, ia jogar a imprensa em cima de mim sem minha permissão.

Mas ali estavam todos eles e ALGUÉM tinha dado a dica e, se não foi Grandmère, quem foi?

Josh estava inteiramente indiferente às luzes, às câmeras, a tudo. E disse: "E daí? A esta altura, você já deve estar acostumada."

Ah, claro. Deixe que eu lhe diga como estou acostumada. Tão acostumada que a ideia de descer daquele carro, mesmo com o braço do rapaz mais bonito da escola em volta de mim, me deu vontade de vomitar toda aquela salada e os pãezinhos.

"Vamos", disse Josh. "Nós dois podemos correr lá pra dentro enquanto Lars estaciona o carro."

Lars não gostou dessa ideia. E disse: "Não acho bom. *Você* estaciona o carro e a princesa e eu corremos lá pra dentro."

Mas Josh já estava abrindo a porta do seu lado. E agarrando minha mão, disse: "Vamos. A gente só vive uma vez" e começou a me puxar do carro.

E, como a verdadeira imbecil que sou, deixei que ele fizesse isso.

Isso mesmo. Deixei que ele me puxasse do carro. Porque a mão dele parecia tão gostosa segurando a minha, tão grande e protetora, tão quente e segura. Ah, o que poderia acontecer? Um monte de flashes. E daí? A gente simplesmente ia correndo para a porta, como ele disse. Tudo ia dar certo.

Então eu disse a Lars: "Tudo bem assim, Lars. Estacione o carro. Josh e eu vamos entrar."

Lars respondeu: "Não, princesa, espere..."

Foram as últimas palavras que ouvi dele — por algum tempo, pelo menos — já que, nessa hora, Josh e eu estávamos fora do carro e ele tinha batido a porta.

E em seguida, instantaneamente, a imprensa correu em cima da gente, todo mundo jogando fora os cigarros, tirando as tampas das lentes das câmeras, berrando: "É ela! É ela!"

E logo depois Josh me puxava degraus acima e eu estava mais ou menos rindo, já que, pela primeira vez, aquilo era meio divertido. Flashes estouravam por toda parte, me cegando, por isso tudo que eu podia ver eram os degraus embaixo de nós, enquanto subíamos correndo. Eu estava totalmente concentrada em segurar a barra do vestido para não pisar nela e cair e tinha depositado toda minha fé naqueles dedos que envolviam minha outra mão. Eu dependia inteiramente de Josh para me levar para a frente, porque eu não podia ver droga nenhuma.

Por isso, quando paramos de repente, pensei que era porque estávamos na entrada da escola. Pensei que tivéssemos parado porque Josh estava abrindo as portas para mim. Sei que isso é estúpido, mas foi isso o que pensei. Podia ver as portas. Estávamos bem à frente delas. Abaixo de nós, nos degraus, os repórteres gritavam perguntas e tiravam fotos. Algum débil mental gritava: “Dê um beijo nela! Dê um beijo nela!”, o que não preciso dizer a vocês que era muito embaraçoso.

E assim fiquei parada ali, como uma completa IDIOTA, esperando que Josh abrisse as portas, em vez de fazer a coisa mais inteligente, que era eu mesma abrir a porta e entrar num local seguro, onde não havia câmeras nem gente berrando “*Dê um beijo nela! Dê um beijo nela!*”

E depois, não sei como, quando dei por mim, Josh havia me envolvido novamente nos braços, me puxado para perto e beijado minha boca.

Juro, foi exatamente assim. Ele simplesmente me beijou e todos aqueles flashes começaram a disparar, mas pode ter certeza de que não era como naqueles livros que Tina está sempre lendo, em que o rapaz beija a moça e ela vê fogos de artifício e coisas parecidas por trás das pálpebras. Eu ESTAVA realmente vendo luzes disparar, mas não eram fogos de artifício, eram flashes de máquinas fotográficas. TODO MUNDO estava tirando uma foto da Princesa Mia recebendo seu primeiro beijo.

Não estou brincando, de jeito nenhum. Como se já não tivesse sido horrível ser esse o meu primeiro beijo.

O meu primeiro beijo, e fotografado pela *Teen People*.

E há mais uma coisa sobre esses livros que a Tina lê: quando a moça recebe o primeiro beijo, ela tem aquela sensação interior calorosa, profunda. Como se o cara estivesse trazendo sua alma lá do fundo. Não senti isso. Não senti isso mesmo. Tudo que senti foi vergonha. E não achei nada de especial em Josh Richter ter me beijado. Tudo que senti, pra dizer a verdade, foi muito estranho. Me senti esquisita, com aquele cara ali apertando minha boca contra a dele. E você poderia pensar que, depois de passar tanto tempo pensando que esse cara era a coisa mais importante da terra, eu teria sentido ALGUMA COISA quando ele me beijou.

Mas tudo que senti foi vergonha.

E como na nossa ida de carro ao restaurante, eu simplesmente fiquei torcendo que aquilo acabasse. A única coisa em que eu conseguia pensar era: Quando é que ele vai acabar de fazer isso? No cinema, eles ficam mexendo as cabeças de um lado para o outro. Devo mexer a cabeça? O que vou fazer, se ele tentar enfiar a língua na minha boca, como eu vi ele fazendo com Lana? Eu não posso deixar que a *Teen People* tire uma foto minha com a língua de um cara na minha boca. Papai me matará.

Mas então, quando pensei que não podia aguentar aquilo nem por mais um minuto, que eu ia MORRER de vergonha ali mesmo nos degraus da Escola Albert Einstein, Josh levantou a cabeça, acenou para os repórteres, abriu as portas da escola e me empurrou para dentro.

Onde, juro por Deus, todas as pessoas que eu conhecia estavam ali, olhando para nós.

Não estou brincando. Lá estavam Tina e seu namorado da Trinity, Dave, olhando para mim meio chocados, e também Lilly e Boris e, pelo menos uma vez, ele não havia enfiado nas calças nada que não devia ser enfiado nelas. Na verdade, ele até parecia bonito, do jeito meio esquisito de um gênio musical. E Lilly usando um belo vestido branco com lantejoulas por todos os lados e rosas brancas nos cabelos. E Shameeka e Ling Su com seus namorados, e mais um monte de outras pessoas que eu provavelmente conhecia mas não reconheci sem os uniformes da escola, todos me olhando com o mesmo tipo de expressão que eu via no rosto de Tina, uma expressão de total e completo espanto.

E ali estava o sr. G, ao lado da bilheteria, em frente à porta da lanchonete, onde estava sendo realizada a dança, parecendo mais surpreso do que qualquer outra pessoa.

Exceto, talvez, eu. Eu diria que, de todas as pessoas ali, era eu que estava no estado mais profundo de choque. Quero dizer, Josh Richter TINHA ACABADO de me beijar. JOSH RICHTER tinha acabado de ME BEIJAR. EU tinha acabado de ser beijada por Josh Richter.

Eu disse que ele me beijou NOS LÁBIOS?

Ah, e que fez isso na frente dos repórteres da *TEEN PEOPLE*?

Então eu estava ali, todo mundo olhando para mim, e eu ainda podia ouvir os repórteres gritando lá fora e, na lanchonete, o *tum, tum, tum* do sistema de som tocando um hip-hop, numa homenagem à nossa população estudantil latina, e esses pensamentos se moviam muito devagar em minha cabeça, pensamentos que estavam dizendo:

Ele tramou tudo isso.

Ele só convidou você para ter a foto nos jornais.

Foi ele quem avisou à imprensa que você estaria aqui hoje à noite.

Ele provavelmente só acabou com Lana para poder dizer aos amigos que está namorando uma garota que vale trezentos milhões de dólares. Ele nunca sequer havia notado você, até que sua foto apareceu na primeira página do *Post*. Lilly tinha razão. Naquele dia, na Bigelows, ele ESTAVA sofrendo apenas um ataque quando sorriu para mim. Ele provavelmente acha que suas probabilidades de ser aceito por Harvard ou outra faculdade de prestígio são maiores pelo fato de namorar a princesa de Genovia.

E, como uma grande idiota, eu caí como um patinho.

Ótimo. Simplesmente ótimo.

Lilly diz que eu não sou suficientemente positiva. Os pais dela dizem que tenho tendência de internalizar tudo e temer confrontações.

Mamãe diz a mesma coisa. Foi por isso que ela me deu este livro, na esperança de que aquilo que eu não conto a ela, eu expresse de alguma maneira.

Se as coisas não tivessem me transformado em uma princesa, talvez eu ainda fosse tudo aquilo. Você sabe como é, acomodada, com medo de confrontação, internalizadora de sentimentos. E eu provavelmente não teria feito o que fiz depois.

Que foi me virar para Josh e perguntar: "Por que você fez isso?"

Ele nesse momento estava apalpando o corpo, procurando os ingressos da dança para entregar ao pessoal que estava controlando a entrada.

"Fiz o quê?"

"Me beijar daquele jeito na frente de todo mundo."

Ele encontrou os ingressos na carteira. "Não sei", disse. "Você não ouviu o que estavam dizendo? Estavam pedindo aos gritos que eu beijasse você. Então beijei. Por quê?"

"Porque eu não gostei."

"Não gostou?" Ele pareceu confuso. "Está falando sério, não gostou?"

"Estou", respondi. "Foi isso exatamente o que eu quis dizer. Não gostei. Não gostei mesmo. Porque sei que você não me beijou porque gosta de mim. Você me beijou porque eu sou a princesa de Genovia."

Josh me olhou como se achasse que eu estava doida.

"Isso é loucura", disse ele. "Eu gosto de você. Gosto muito de você."

E eu disse: "Você não pode gostar muito de mim. Você nem me conhece. Foi por isso que pensei que você me convidou para sair com você. Para que pudesse me conhecer melhor. Mas você nem tentou fazer isso. Você simplesmente queria sua foto no *Extra*."

Ele riu quando eu disse isso, mas notei que não me olhou nos olhos quando respondeu: "O que é que você quer dizer com essa de que nem a conheço? Claro que conheço você."

"Não, não conhece. Porque, se me conhecesse, não teria pedido bife para mim no jantar."

Ouvi um murmurinho entre as minhas amigas. Acho que elas reconheciam a gravidade do erro de Josh, mesmo que ele não. Ele também as ouviu; então, quando respondeu, estava era se dirigindo a elas: "Tudo bem, pedi um bife para ela", reconheceu, com os braços cruzados daquele jeito então-me-processem. "E isso é crime? Era *filé mignon*, pelo amor de Deus."

Em sua voz mais dura, Lilly tomou a palavra: "Ela é vegetariana, seu sociopata."

Essa informação não pareceu incomodá-lo muito. Ele simplesmente encolheu os ombros e continuou: "Opa, meu pé."

Depois, virou para mim e perguntou: "Pronta para bailar?"

Mas eu não tinha intenção de dançar com Josh. Nenhuma intenção de fazer qualquer coisa com ele, nunca mais. Eu não podia acreditar que, depois de eu ter dito aquilo, ele ainda quisesse dançar. Aquele cara era realmente um sociopata. Como é que eu podia ter pensado um dia que ele havia visto minha alma? Como???

Dei as costas a ele e saí.

Mas como eu não podia evidentemente voltar para fora — não, se não queria que o pessoal da *Teen People* pegasse um bom close de mim, chorando — meu único recurso era entrar no banheiro das meninas.

Finalmente, Josh compreendeu que eu estava dando um fora nele. Nessa altura, todos os amigos dele tinham aparecido, entrando tempestuosamente pelas portas, exatamente como Josh tinha feito, parecendo profundamente irritados. "Pô! Foi só um beijo."

Eu me virei rápido. "Não foi só um beijo", disse. Estava ficando realmente furiosa. "Talvez tenha sido assim que vocês quisessem que parecesse, que fosse apenas um beijo. Mas vocês e eu, nós, sabemos o que aquilo realmente foi: um incidente para exploração pela mídia.

Um incidente que vocês estiveram planejando desde que me viram no *Post*. Muito bem, obrigada, Josh, mas eu posso conseguir minha própria publicidade. Eu não preciso de você."

Em seguida, depois de estender a mão para Lars, pedindo o diário, peguei-o e entrei no banheiro das meninas. Que é onde estou agora, escrevendo isto.

Deus! Vocês podem ACREDITAR nisso? Quero dizer, estou perguntando: meu primeiro beijo — meu primeiro, primeiríssimo beijo — e, na próxima semana, vai estar em todas as revistas para adolescentes do país. Provavelmente, até alguma revista internacional vai dar a matéria, como a *Majesty*, que acompanha a vida de todos os jovens da família real na Grã-Bretanha e em Mônaco. Eles publicaram uma vez uma matéria inteira sobre o guarda-roupa da esposa do Príncipe Edward, Sophie, classificando cada roupa numa escala de um a dez. E deram à matéria o título "Os Esqueletos no Armário". Acho que não vai demorar muito para a *Majesty* começar a me seguir por toda parte, classificando meu guarda-roupa — e também meus namorados. Será que a legenda da foto minha e de Josh vai ser "Jovem Figura da Realeza Apaixonada"?

Desculpe, mas vou vomitar.

E o sensacional de tudo isso é que NÃO estou absolutamente apaixonada por Josh Richter. Quero dizer, teria sido legal... Quem é que eu estou querendo enganar? Teria sido MARAVILHOSO... ter um namorado. Às vezes, acho que há alguma coisa errada comigo, porque não tenho um.

Mas a verdade é que prefiro não ter um namorado do que ter um que está me usando por meu dinheiro, pelo fato de meu pai ser um príncipe, ou por qualquer outra razão, exceto gostar de mim por mim mesma, e nada mais.

Claro, agora que todo mundo sabe que sou uma princesa, vai ser meio difícil saber quais caras gostam de mim por mim mesma e quais gostam de mim por causa da minha tiara. Mas, pelo menos, descobri a verdade sobre Josh antes de ser tarde demais.

Como é que eu pude gostar dele? Que grande explorador de pessoas ele é. Ele me usou totalmente! Magoou Lana de propósito e depois tentou me usar. E caí direitinho nas mãos dele como a grande burra que sou.

O que é que eu vou fazer? Quando papai vir a foto, ele vai ter UM TROÇO. Não há como explicar a ele que aquilo não foi culpa minha. Talvez, se eu tivesse dado um soco no estômago de Josh na frente de todas aquelas câmeras, talvez meu pai acreditasse que fui uma espectadora inocente...

Mas, provavelmente, não.

Nunca mais vão me deixar sair com alguém, nunca, pelo resto de minha vida.

Oh, oh. Estou vendo sapatos do lado de fora do meu reservado. Alguém está falando comigo.

É Tina. Tina quer saber se estou bem. Mas há alguém com ela.

Oh, meu Deus, reconheço esses pés! São de Lilly! Lilly e Tina querem saber se estou bem!

Lilly está mesmo falando comigo novamente. Não me criticando ou se queixando do meu comportamento. Está falando comigo como uma amiga fala. Está dizendo pela porta do reservado que sente muito ter rido do meu cabelo, que reconhece que é mandona, e que sofre de um distúrbio de personalidade autoritária limítrofe, e ainda que vai fazer um esforço orquestrado para não dizer a todo mundo, principalmente a mim, o que devo fazer.

Uau! Lilly está reconhecendo que fez alguma coisa errada! Não posso acreditar nisso! NÃO POSSO ACREDITAR NISSO!

Ela e Tina querem que eu saia daqui de dentro e que faça companhia a elas. Mas eu disse que não quero sair. Seria muito esquisito, todas elas com um par e eu segurando vela.

Aí Lilly disse: "Oh, tudo bem. Michael está aqui. Tem andado sozinho como um grande babaca a noite inteira."

Michael Moscovitz veio a uma festa da escola??? Não posso acreditar nisso! Ele nunca vai a lugar nenhum, exceto a palestras sobre física quântica e coisas assim!

Vou ter que conferir isso. Vou sair daqui agora mesmo.

Mais, depois.

Domingo, 19 de Outubro

Acabei de acordar do mais estranho dos sonhos.

No sonho, Lilly e eu não brigávamos mais. Ela e Tina haviam se tornado amigas, Boris Pelkowski mostrou que não era realmente um chato quando a gente conseguia afastá-lo do violino, o sr. Gianini disse que aumentou minha nota para cinco, dancei uma música lenta com Michael Moscovitz, e o Irã bombardeou o Afeganistão, então não havia uma única foto nos jornais de Josh me beijando, porque em todos eles só havia fotos da carnificina da guerra.

Mas não foi um sonho! Não foi um sonho, nada disso! Tudo isso realmente aconteceu.

Porque acordei esta manhã com alguma coisa úmida na cara e, quando abri os olhos, vi que estava deitada na cama extra do quarto de Lilly, que o cachorro do irmão dela estava lambendo minha cara. Quero dizer, eu tinha baba de cachorro por todo o rosto.

E eu nem me importo! Pavlov pode babar o quanto quiser em cima de mim! Minha melhor amiga está de volta! Não vou ser reprovada na escola! Meu pai não vai me matar por ter beijado Josh Richter!

Ah, e acho que, talvez, Michael Moscovitz goste de mim!

Eu mal consigo escrever, de tão feliz.

Mal sabia, quando saí do reservado com Tina e Lilly na noite passada, que toda esta felicidade estava à minha espera. Eu estava *morbidamente* deprimida — isso mesmo, *morbidamente*, não é uma palavra legal?, aprendi com Lilly — pelo que aconteceu entre mim e Josh.

Mas, quando saí do banheiro das meninas, Josh tinha desaparecido. Lilly me contou mais tarde que depois de eu ter humilhado ele publicamente e depois entrado feito um furacão no banheiro das meninas, ele foi dançar, parecendo que não estava dando muita bola para a coisa. Lilly não tem certeza do que aconteceu depois disso, porque o sr. G pediu a ela e a Tina para irem ver como eu estava (isso não foi delicado da parte dele?), mas acho que Lars pode ter usado em Josh algum de seus produtos paralisantes, porque na última vez que o vi, Josh estava caído sobre a mesa com a maquete das Ilhas do Pacífico, com a testa em cima de um modelo do Krakatoa. Ele não se moveu um centímetro durante a noite, embora eu tenha pensado que isso era o efeito de todo aquele champanhe que ele havia bebido.

De qualquer forma, Lilly, Tina e eu nos juntamos a Boris e Dave — que é realmente um cara legal, mesmo que vá estudar em Trinity — e Shameeka e seu namorado, Allan, e Ling-Su e seu par, Clifford, nesta mesa que eles conseguiram. Era a mesa do Paquistão, com uma maquete patrocinada pelo Economics Club, mostrando em detalhe como o mercado de maunds (uma unidade de medida do Paquistão) de arroz estava caindo. A gente afastou para um lado alguns maunds de arroz e nos sentamos ali mesmo, em cima da mesa, para que a gente pudesse ver tudo.

E, de repente, Michael apareceu, vindo ninguém sabe de onde, parecendo ter saído do banho — não é uma expressão engraçada? Aprendi ela com Michael — usando o smoking que a mãe obrigou ele a comprar para o bar mitzvah do seu primo Steve. Michael, na verdade, não tinha uma mesa para ficar, já que a diretora Gupta havia decidido que a Internet não é uma cultura e, por isso, não poderia ter sua própria mesa e, então, o Clube do Computador, por questão de princípio, boicotou a Dança da Diversidade Cultural.

Mas Michael não parecia se importar com o que o Clube do Computador pensava, e olha que ele é o tesoureiro! Sentou-se junto de mim, perguntou se estava tudo bem comigo, e depois a gente se divertiu contando piadas sobre as animadoras de torcida, que certamente não praticam qualquer diversidade cultural, já que estavam vestidas praticamente com o mesmo vestido, um negócio preto colante da Donna Karan. Depois, alguém começou a falar no *Star Trek: Deep Space Nine* e se há ou não cafeína em café replicado, e Michael disse como quem conhece do assunto que tudo que sai do replicador é lixo, o que significa que quando a gente pede um sundae ele pode ser feito de urina, embora antes tenham sido extraídos os germes e impurezas. E nós estávamos ficando meio revoltados com essa nojeira quando a música mudou para uma canção lenta e todo mundo saiu da mesa para dançar.

Menos eu e o Michael, claro. Nós simplesmente ficamos ali, entre os maunds de arroz.

O que, para dizer a verdade, não foi nada ruim, já que Michael e eu nunca ficamos sem assunto — ao contrário de mim e Josh. Continuamos a discutir sobre o replicador e, em seguida, decidimos analisar quem era o líder mais eficaz, o Capitão Kirk ou o Capitão Picard, quando o sr. Gianini se aproximou e me perguntou se eu estava bem.

Eu disse claro, e foi então que o sr. G me disse que estava feliz por ouvir isso e, baseado nas notas dos testes práticos que ele me dava todos os dias, eu tinha conseguido cinco em álgebra, motivo pelo qual ele me dava seus parabéns e insistia para que eu continuasse a estudar bastante.

Mas eu dei o crédito pelo meu progresso em matemática a Michael, que me ensinou a parar de fazer anotações de álgebra no diário, a não bagunçar minhas colunas e a riscar os números quando faço uma subtração. Michael ficou todo envergonhado e disse que não tinha nada a ver com isso. Mas o sr. G não o ouviu porque teve que se afastar às pressas para convencer um grupo de góticos a desistir de iniciar um protesto contra a exclusão injusta de uma mesa dedicada aos devotos de Satanás pelos organizadores da festa.

Em seguida, uma música mais agitada começou a tocar e todo mundo voltou para a mesa, nos sentamos e conversamos sobre o programa de Lilly, do qual Tina Hakim Baba vai ser produtora, já que descobrimos que ela tem uma mesada de 50 dólares por semana (ela vai começar a pegar os romances para adolescentes na biblioteca, em vez de comprá-los, então poderá usar todos os seus recursos para promover o *Lilly Tells It Like It Is*). Lilly me perguntou se eu me importava de ser o assunto do próximo programa, intitulado "A Nova Monarquia: Figuras da Realeza que Fazem uma Diferença". Dei a ela direitos exclusivos à minha primeira entrevista pública, desde que ela prometesse me perguntar o que eu pensava da indústria de carne.

Depois, tocaram outra música lenta e todo mundo foi dançar. Michael e eu fomos deixados novamente no meio do arroz. Eu estava quase perguntando quem ele escolheria para passar à eternidade se uma catástrofe nuclear varresse todo o resto da população, Buffy, a Caça-Vampiros, ou Sabrina, a Bruxa Adolescente, quando ele me perguntou se eu queria dançar!

Fiquei tão surpresa que disse que queria, mesmo sem pensar. E, quando dei por mim, eu estava no meio da minha primeira dança com um rapaz que não era meu pai!

E era mesmo uma música *lenta*!

Dançar com música *lenta* é uma coisa *estranha*. Não é nem dançar de verdade. É mais como ficar ali com os braços em volta de outra pessoa, movendo um pé após o outro ao compasso da música. E acho que não se espera que a gente converse — pelo menos ninguém em volta da gente estava conversando. Eu acho que sabia por que: estamos tão ocupados *sentindo* a coisa que é difícil pensar em algo para dizer. Quero dizer, Michael *cheirava* tão bem — como sabonete Ivory — e eu me sentia tão bem — o vestido que Grandmère tinha escolhido para mim era bonito e tudo mais, mas eu sentia um pouco de frio dentro dele, então era bom ficar perto do Michael, que era tão quente — era quase impossível dizer alguma coisa.

Acho que Michael se sentia do mesmo jeito, porque até quando a gente estava sentado na mesa com todo aquele arroz nenhum de nós deixou de falar, tínhamos tanta coisa para conversar e, quando a gente dançou, ninguém disse uma única palavra.

Mas no instante em que a música parou, Michael começou a falar, perguntando se eu queria um pouco de chá gelado tailandês, da Mesa da Cultura Tailandesa, ou talvez algum edamame da mesa do Clube de Anime japonês. Para uma pessoa que nunca havia estado em um evento escolar — a não ser em reuniões do Clube do Computador

— Michael estava, com seu entusiasmo por este, compensando o tempo perdido.

E o resto da noite foi assim: a gente se sentou às mesas e conversou durante as músicas rápidas e dançou as lentas.

E quer saber de uma coisa? Para dizer a verdade, eu não sei do que gostei mais, de conversar com Michael ou dançar com ele. As duas coisas foram tão... interessantes.

De maneiras diferentes, claro.

Quando a festa terminou, todos nos amontoamos na limusine que o sr. Hakim Baba mandou para pegar Tina e Dave. (Os furgões das TVs, a essa hora, tinham se mandado, que a notícia agora é o bombardeio. Acho que elas vão vigiar a embaixada iraniana.) Liguei para mamãe do celular da limusine, disse a ela onde estava e perguntei se podia passar a noite na casa de Lilly, porque era para lá que todo mundo estava indo. Ela disse que eu podia, sem fazer nenhuma pergunta, o que me fez acreditar que ela já havia conversado com o sr. G e que ele já tinha contado as novidades da noite. Será que ele disse a ela que aumentou minha nota para cinco?

Quer saber de uma coisa? Ele poderia ter me dado mais do que cinco. Eu tenho dedicado toda força ao caso dele com mamãe. Uma lealdade desse tipo merece ser recompensada.

O dr. e a dra. Moscovitz pareceram um pouco surpresos quando nós dez — doze, se incluirmos Lars e Wahim — aparecemos à porta deles. E mais surpresos ainda ficaram quando viram Michael. Nem sabiam que ele tinha saído do quarto. Mas deixaram que a gente tomasse conta da sala de estar, onde a gente jogou Fim do Mundo até que os pais de Lilly e Michael apareceram de pijama e disseram que todo mundo voltasse para casa, porque ele tinha aula cedo com seu professor de tai chi.

Todos disseram adeus e lotaram o elevador, menos eu e os Moscovitz. Até Lars pegou uma carona para o Plaza — como eu não ia mais sair, as responsabilidades dele haviam terminado. Obriguei ele a prometer que não ia dizer nada sobre o beijo. Ele disse que não ia me entregar, mas a gente nunca sabe, com esses caras: eles têm um código de honra próprio, sabia? Eu me lembrei disso quando Lars e Michael se cumprimentaram, antes de ele ir embora.

A coisa mais esquisita de tudo que aconteceu ontem à noite é que descobri o que Michael faz em seu quarto o tempo todo. Ele me mostrou, mas me fez jurar que nunca ia dizer a ninguém, incluindo Lilly. Eu nem devia estar escrevendo isso aqui, porque alguém pode achar este diário e ler. Tudo que posso dizer é que Lilly está perdendo seu tempo adorando Boris Pelkowski: há um gênio musical na própria família.

E pensar que ele nunca teve uma aula de música! Ele aprendeu sozinho a tocar violão — e compõe suas próprias músicas! A que tocou para mim chama-se "Coquetel de Água". É sobre uma moça alta, muito bonita, que não sabe que aquele rapaz está apaixonado por ela. Acho que um dia a música vai estar em primeiro lugar na parada de sucessos da *Billboard*. Qualquer dia destes, Michael Moscovitz pode ficar tão famoso quanto Puff Daddy.

Só quando todo mundo foi embora é que percebi como estava cansada. O dia tinha sido longo, mesmo. Acabei com um cara que só namorei meio dia. Isso pode ser muito desgastante emocionalmente.

Mesmo assim, acordei cedo, como sempre acontece quando passo a noite na casa da Lilly. Deitada com Pavlov nos braços, fiquei escutando o som dos carros na Quinta Avenida, que não é realmente muito alto, uma vez que os Moscovitz mandaram fazer um isolamento acústico. Enquanto estava deitada ali, pensei que realmente sou uma garota muito feliz. As coisas pareceram muito ruins durante algum tempo, mas não é engraçado como tudo se resolve no fim?

Estou ouvindo barulho na cozinha. Maya deve estar lá, preparando suco de laranja sem bagaço para o café da manhã. Vou ver se ela precisa de uma ajudinha.

Não sei por quê, MAS ESTOU TÃO FELIZ!

Acho que não é preciso muita coisa para a gente ficar feliz, não é?

Domingo à Noite

Grandmère apareceu hoje no sótão, carregando papai. Ele queria saber como foram as coisas na dança. Lars não contou! Eu amo meu segurança. E Grandmère queria me dizer que vai viajar durante uma semana, de modo que nossas lições de princesa ficam suspensas por ora. Ela disse que é hora de fazer sua visita anual a alguém chamado Baden-Baden. Acho que ele é amigo daquele outro cara com quem ela se dava, um tal Boutros-Boutros de Tal e Tal.

Até minha avó tem um namorado.

De qualquer modo, ela e papai chegaram de repente e vocês deviam ver a cara de minha mãe. Ela parecia prestes a vomitar. Especialmente quando Grandmère começou a perturbar ela, dizendo que o sótão era uma bagunça só (eu andei muito ocupada nestes últimos tempos para fazer uma limpeza).

Para tirar vovó de cima da mamãe, eu disse que ia acompanhá-la até a limusine e, no caminho, contei a ela sobre Josh. Ela ficou meio interessada, já que a história tinha tudo do que ela gosta, repórteres, gente bonita e gente tendo o coração inteiramente despedaçado e coisas assim.

Quando a gente estava na esquina dizendo adeus até a próxima semana (*ISSO MESMO*! Nenhuma lição de princesa durante uma semana inteira! Ela arremessa, e acerta!) o Cara Cego passou, batendo com a bengala no chão. Parou na esquina e ficou ali, esperando que a próxima vítima aparecesse e o ajudasse a cruzar a rua.

Grandmère viu isso e caiu feito uma idiota. E disse: "Amelia, ajude aquele pobre rapaz."

Mas, claro, eu estava por dentro da coisa, e disse: "De jeito nenhum."

"Amelia!" Grandmère ficou chocada. "Um dos traços mais importantes de uma princesa é sua bondade incansável com estranhos. Agora, vá ajudar aquele pobre rapaz a cruzar a rua."

Aí eu disse: "Nem morta, Grandmère. Se acha que ele precisa de ajuda, vá você ajudá-lo."

De modo que Grandmère, ajeitando-se toda — e acho que querendo me mostrar como é incansavelmente bondosa — foi até o Cara Cego e disse numa voz disfarçada: "Deixe eu lhe dar uma ajudinha, rapaz..."

O Cara Cego pegou Grandmère pelo braço. Acho que gostou do que sentiu, porque, quando eu menos esperava, ele estava dizendo: "Oh, obrigado, muito obrigado, madame" e ele e Grandmère começaram a cruzar a Spring Street.

Não achei que o Cara Cego fosse bolinar minha avó. Realmente não achei, ou não deixaria que ela fosse ajudá-lo. Quero dizer, Grandmère não é nenhuma gatinha gostosa, se é que entende o que eu quero dizer. Eu não podia imaginar cara nenhum, mesmo um cara cego, passando uma mão-boba nela.

Mas, quando eu menos esperava, Grandmère estava berrando feito uma desesperada e tanto o motorista dela quanto nosso vizinho, que é um homem decidido, foram correndo ajudá-la.

Mas Grandmère não precisava de ajuda nenhuma. Deu uma bolsada com tanta força na cara do Cara Cego que os óculos escuros dele voaram para longe. Depois disso, não havia mais dúvida: o Cara Cego vê até demais.

E quero lhe dizer uma coisa: não acho que, por um bom tempo, ele vá passear mais por nossa rua.

Depois de toda aquela gritaria, foi quase uma bênção voltar para casa e trabalhar no meu dever de álgebra durante o resto do dia. Eu precisava de um pouco de paz e tranquilidade.

Este livro foi composto na tipografia
Lapidary 333, em corpo 12/17, e impresso em
papel off-white no Sistema Digital Instant Duplex
da Divisão Gráfica da Distribuidora Record.